COLLECTION DIRIGÉE PAR
GÉRALD GODIN
FRANÇOIS HÉBERT
ALAIN HORIC
GASTON MIRON

DICTIONNAIRE DES PROVERBES
QUÉBÉCOIS

Pierre DesRuisseaux

DICTIONNAIRE DES PROVERBES QUÉBÉCOIS

l'HEXAGONE

Éditions de l'HEXAGONE
une division du groupe
Ville-Marie Littérature
1000, rue Amherst, bureau 102
Montréal (Québec)
H2L 3K5
Tél.: (514) 523-1182
Télécopieur: (514) 282-7530

Maquette de la couverture: Claude Lafrance
Illustration de couverture: Emmanuel Claudais
Photocomposition: Les Ateliers C.M. inc.

Distribution:
LES MESSAGERIES ADP
955, rue Amherst
Montréal (Québec)
H2L 3K4
Tél.: à Montréal: 523-1182
de l'extérieur: 1-800-361-4806

Édition originale
Pierre DesRuisseaux
Le livre des proverbes québécois
Éditions de l'Aurore, 1974

Dépôt légal – 1er trimestre 1991
Bibliothèque nationale du Québec
Bibliothèque nationale du Canada

TYPO
Nouvelle édition, revue, corrigée et augmentée
© 1991 Éditions de l'Hexagone et Pierre DesRuisseaux
Tous droits réservés pour tous pays
ISBN 2-89295-061-9

Qui les proverbes fist
Premièrement bien dist,
Au tans qu'alors estoit;
Or est tout en respit,
En ne chante ne lit
D'annor en nul endroit;
Que la bone denrée,
A mauvaise oubliée,
Ce dit li vilains.

Proverbes au conte de Bretaigne

PRÉSENTATION

Si on s'entend généralement pour affirmer que les proverbes sont des façons de parler pittoresques et savoureuses exprimant une certaine «sagesse», voire une véritable «philosophie» populaire, d'aucuns y discernent un fait de langue archaïsant et somme toute, désuet.

Charmant certes, le proverbe, mais aussi pour nombre d'entre nous, casse-pieds, moralisateur et peut-être aussi, un peu beaucoup prosaïque et vieillot dans son gros bon sens à crinoline.

Avouons d'emblée que cette perception du proverbe, folklorisante et réductrice, prévaut encore dans certains milieux qui apparemment exercent une distinction — consciente ou non — entre réalités scientifique ou moderne et populaire ou empirique. Or tout n'est pas si simple. Car s'il émerge d'une tradition et d'une histoire, s'il s'inscrit donc dans une continuité sociale, morale et historique, l'énoncé proverbial évolue parallèlement et conjointement avec la société qui l'a fait naître et qui le nourrit. Il se transforme donc au fil des époques et des milieux, transcrivant dans certains cas des réalités carrément contemporaines, comme dans l'exemple suivant: «On ne peut pas faire les hot dogs et servir les clients.» Il est par conséquent difficile d'affirmer que le proverbe ne traduit plus la réalité d'aujourd'hui. Au contraire, il constitue une manière d'affirmation et de jugement qui traduit fidèlement et d'une façon condensée les valeurs, les aspirations et les tabous de l'époque. Partie prenante de la tradition et issu d'elle, le proverbe est cependant forcément conservateur. Parole de classe, parole d'autorité, il est souvent celle de la misogynie dans un monde régi d'abord par l'homme. On remarquera toutefois que cette masculinité est plus atténuée dans les énoncés québécois.

Appareil symbolique et idéologique puisqu'il constitue un système de valeurs structuré, l'ensemble des proverbes populaires traduit un usage qui s'accommode parfaitement des conditions sociales et culturelles modernes. Car au-delà de la métaphore qui se modifie dans le temps et l'espace, le sens fondamental — jugement moral, interdit, etc. — reste souvent inchangé, exprimant une préoccupation en grande partie universelle. L'énoncé *À tout seigneur tout honneur* n'est pas moins fondé de nos jours que dans la France du XIIIᵉ siècle. Non plus que *On voit la paille dans l'œil du voisin mais pas le madrier dans le nôtre,* adaptation québécoise de l'énoncé biblique *On voit la paille dans l'œil du voisin et on ne voit pas la poutre dans le sien.*

On ressent avant tout les *dires,* et même si l'on pouvait en analyser toutes les caractéristiques stylistiques, rhétoriques, sémantiques, psychanalytiques, on n'aurait pas encore épuisé leur contenu réel et ce qu'ils représentent pour leurs utilisateurs de tous les jours. Car si «on peut déterminer la véritable signification d'un terme en observant ce qu'un homme fait avec, non pas ce qu'il en dit» (Bridgman, *The Logic of Modern Physics*), de la même façon, toute définition du proverbe nous ramène à l'usage que l'on en fait dans la vie courante.

> Proverbe (n. m.). Vérité d'expérience ou con-
> seil de sagesse pratique et populaire commun
> à tout un groupe social, exprimé en une figure
> généralement imagée et figurée.
>
> *Le Robert*

Au-delà de la définition admise du dictionnaire, on s'entend pour reconnaître au proverbe des caractères propres qu'il importe d'expliciter. Ainsi, certaines particularités de l'énoncé proverbial se distinguent à première vue: brièveté, expression d'une vérité commune et évidente (truisme), en grande partie fondée, possédant un sens métaphorique en même temps que littéral, populaire, traditionnel, anonyme, comportant des figures stylistiques et recelant des valeurs morales, sociales et religieuses. Souvent, des énoncés présentés par les folkloristes et ethnologues comme proverbes n'en sont pas strictement parlant. C'est ainsi que l'on retrouve souvent associées aux proverbes des locutions proverbiales (*i.e.* Faire noces de chien, [«Proverbes à propos de noces», *Bulletin des recherches historiques,* XXIX], des croyances à forme rimée (*i.e.* Noces de mai, noces mortelles), de simples propositions qui n'ont aucune des caractéristiques de brièveté et de concision généralement attribuées au proverbe (*i.e.* L'argent gagné le dimanche vaut pas grand-chose [*Civilisation traditionnelle des Lavalois,* p. 159]), et des dictons[1].

---

1. Pour des études plus détaillées du proverbe, voir Whiting, «The Nature of the Proverb», *Harvard Studies in Philology and Literature,* XIII, 1932, p. 274-307; G. B. Milner, «De l'armature des locutions proverbiales, essai de taxonomie sémantique», *L'homme,* IX, n° 3, juillet-septembre 1969, p. 49-70; Forster, «The Proverb and the Superstituion Defined», thèse de Ph. D., Université de Pennsylvanie, 1968, et Crépeau, «Proverbes du Rwanda», thèse de M. A., Anthropologie, Université de Montréal, 1971.

Si la forme du proverbe mérite attention, le contexte où il s'inscrit ainsi que sa sémantique peuvent nous renseigner sur les fonctions qu'il remplit sur les plans individuel et collectif. Par ailleurs, en y regardant de près, on ne peut manquer d'observer des similitudes entre ce que Freud appelle le processus de travail du rêve: condensation, déplacement, figuration, et les caractéristiques de l'énoncé proverbial.

Les proverbes expliquent moins qu'ils dictent ou réprouvent, renvoyant à des modes de compréhension et de comportements spécifiques à une culture. Ils expriment collectivement sur le plan verbal la relation qui existe entre les membres d'une collectivité et le monde dans lequel ils évoluent. Plus spécifiquement, les proverbes renvoient à des attitudes particulières, des manières de voir et de ressentir, des désirs et des craintes parfois inconscientes face à la vie de tous les jours. Et même s'ils ne peuvent tout nous dire sur leurs utilisateurs, du moins témoignent-ils, dans une certaine mesure et d'une manière privilégiée, en tant que partie verbalisée de la culture, de traits culturels spécifiques et de ce qu'on est en droit d'appeler une pensée collective.

Ceci dit, il reste à expliquer l'économie du présent dictionnaire qui, comme le suggère son titre, *Dictionnaire des proverbes québécois,* présente près de 700 proverbes du Québec. Encore faudrait-il s'entendre sur le sens de «proverbes québécois». On pourrait certes débattre longuement sur le sens de ces mots. Cependant, pour les besoins actuels, et pour ne pas allonger inutilement le débat, on se limitera à définir comme «québécois» tout proverbe utilisé et compris au Québec, indépendamment de son lieu d'origine et de sa genèse. Car si, en effet, nombre d'énoncés ont été conçus ici, plusieurs constituent des emprunts ou des adaptations plus ou moins élaborés de proverbes étrangers, la plupart du temps français, mais plongent aussi leurs racines dans le latin médiéval *(Qui trop embrasse mal étreint),* l'anglais contemporain, le grec, l'espagnol, etc. Aucune langue, comme aucune société, ne se suffit véritablement à elle-même. Les échanges linguistiques font partie de la dynamique culturelle d'une nation, et à ce compte la québécoise, comme la française, ne fait pas exception.

On s'est moins attaché ici à élaborer sur l'étymologie du proverbe qu'à sa comparaison et sa continuité avec des variantes étrangères. L'origine d'un proverbe reste en effet dans la plupart des cas obscur, malgré des interprétations et explications souvent hasardeuses avancées dans les dictionnaires. C'est pourquoi, dans le présent ouvrage, les commentaires et interprétations ont été limités au strict minimum, ne visant qu'à éclairer et à mettre en relief un aspect particulièrement intéressant ou notable d'une donnée.

Il va de soi que l'élaboration du présent ouvrage procède d'une somme énorme de travail. Collectes de documents oraux sur le terrain, dépouillement de sources manuscrites et archivistiques, contrôle des entrées, recoupement des données, établissement d'un classement à la fois pratique, commode et théoriquement valable. Le résultat, qui procède forcément d'un compromis, se veut un outil de travail et de consultation à la fois utile, rationnel et à la portée du plus grand nombre.

On a souvent souligné la trop grande importance accordée habituellement, dans les dictionnaires et recueils de proverbes, aux sources littéraires ou du moins écrites, par rapport aux documents oraux, ce qui suscite une homogénéité de ton et de contenu qui a parfois peu à voir avec la langue parlée. Le présent ouvrage se distingue en ce qu'il accorde une priorité aux sources orales sur l'écrit, et même s'il s'appuie souvent sur ce dernier pour affermir, corroborer ou confirmer une donnée, le critère premier demeure l'usage, c'est-à-dire l'utilisation des énoncés dans la langue parlée et sur une base quotidienne par une partie ou l'ensemble de la population.

Tout comme pour le contenu du *Dictionnaire des expressions québécoises*[2], aucune donnée n'a été omise a priori pour des raisons morales, esthétiques ou d'usage. On comprendra qu'en l'occurrence, les «convenances» cèdent le pas à la nécessité d'un «portrait» le plus exact et complet possible des proverbes tels qu'ils s'expriment dans le quotidien, même si l'expression un peu fruste de certains énoncés risque d'en choquer quelques-uns.

---

2. Montréal, Bibliothèque québécoise, 1990.

ABRÉVIATIONS ET NOTES LIMINAIRES

loc.	locution
loc. prov.	locution proverbiale
qqn	quelqu'un
qqch.	quelque chose

Afin d'alléger le contenu du dictionnaire, lorsque plusieurs énoncés successifs sont précédés d'un même mot-clé, celui-ci n'apparaît que devant la première entrée.

Les propos disposés entre parenthèses constituent une variante de l'énoncé tandis que ceux qui le sont entre tirets désignent une variante qui s'ajoute, le cas échéant, à la première. Ainsi: «Dans les petits pots, les bons (meilleurs) onguents (dans les grands, les excellents — la mauvaise herbe pousse vite —).»

Les mots disposés entre crochets en caractères légers correspondent à la graphie admise d'appellations populaires contenues dans les entrées. Par exemple: «Avec (c'est avec) les cennes (les sous) [cents], on (qu'on) fait les piastres [dollars].»

On retrouvera dans l'index thématique à la fin de l'ouvrage, les énoncés regroupés sous divers thèmes classés dans l'ordre alphabétique. L'entrée se retrouve ensuite par le biais du mot-clé, qui précède l'énoncé. Dans le corps du dictionnaire, le thème caractérisant l'entrée se situe immédiatement après le proverbe, en caractères italiques.

Un index général contenant les mots principaux des entrées, sauf les verbes et les adjectifs, à la toute fin du dictionnaire, permet de retrouver facilement, par un système pratique de renvois, les énoncés que l'on n'aura pu retrouver par l'intermédiaire du thème ou du mot-clé.

Un losange précède la ou les versions étrangères d'un énoncé. Sauf indication particulière, dans le cas où il existe plusieurs versions, le nom de leur pays d'origine apparaît à la suite du dernier des énoncés séparés par un point-virgule. Ainsi: «Maveis ovriers ne trovera ja bon ostil (XIIIe); Autant de trous autant de chevilles; Mauvais ouvriers ne trouvent jamais bons outils (France).»

ABEILLE. L'abeille qui reste au nid n'amasse pas de miel. *Travail.* Qui ne travaille pas ne réalise guère de profit. Sur le thème: Il faut semer pour récolter. ❖ Renard qui dort n'attrape pas les poules (Auvergne, France).

ADVENIR. Advienne que pourra. *Sort.* Peu importe l'avenir (j'en accepte les conséquences). Énoncé général.

AFFAIRES. Les affaires sont les affaires. *Moyen.* L'intérêt économique justifie tous les moyens. Se dit dans le commerce. L'anglais dit justement: *"Business is business"*, précepte cité dans la pièce *The Hair-at-Law* de George Colmal le Jeune (XVIIIᵉ). Se dit en France.

Que chacun se mêle de ses affaires. *Individualité.*

AIDE. Peu d'aide fait grand bien. *Aide.* Une aide minime produit souvent des résultats prodigieux. Énoncé général.

AIDER (S'). Aide-toi et le ciel t'aidera. *Action.* Mieux vaut agir avant de faire appel à l'aide. Se dit notamment par les parents à l'adresse de l'enfant. ❖ Aide- toi, le ciel t'aidera (La Fontaine, *Fables*); Aide-toi, Dieu te aidera (XVe, France).

AIMER. On ne peut (pas) empêcher (tu ne peux pas empêcher) un cœur d'aimer. *Amour.* L'amour n'obéit guère à la raison. ❖ Amour aveugle raison (France).

Quand on n'a pas ce qu'on aime, on chérit ce qu'on a. *Contentement.* Il faut se contenter de ce que l'on possède. ❖ Quand on n'a pas ce que l'on aime, il faut aimer ce que l'on a (XVe, France).

Qui aime bien châtie bien. *Amour.* Punir témoigne de son amour. Se dit en guise d'excuse pour punir un enfant dissipé. Issu du latin médiéval: *Que bene amat, bene castigat.* Se dit en France.

Vaut mieux souffrir d'avoir aimé que de souffrir de n'avoir jamais aimé. *Amour.* Formule de consolation. On retrouve dans *In Memoriam* de Tennyson: «Vaut mieux avoir aimé et perdu que de n'avoir jamais aimé du tout.»

AIR. L'air, c'est pas toute la chanson. *Aspect.* L'apparence avantageuse ne dévoile guère la valeur. Pour dire de ne pas se fier qu'aux apparences. ❖ L'air ne fait pas la chanson (France).

AMBITION. L'ambition fait mourir son maître. *Ambition.* Vérité morale. Trop d'ambition suscite l'échec. On dira parfois cette formule à propos de celui qui

«ambitionne sur le pain bénit». Le Talmud dit bien:
L'ambition détruit son hôte.

**AMBITIONNER. Il ne faut pas ambitionner sur le
pain bénit.** *Ambition.* Mieux vaut ne pas forcer sa chance.
Ce proverbe réfère au pain que les paroissiens, autrefois,
faisaient bénir à l'église les dimanches, et qui était censé
acquérir ainsi des vertus bénéfiques.

**AMÉRICAINS. Les Américains sont devenus riches
à se mêler (en se mêlant) de leurs affaires.** *Individualité.* Il y a avantage à ne pas s'occuper des affaires
d'autrui. Mise en garde à l'adresse de celui qui s'occupe
davantage des affaires des autres que des siennes propres.
«Pourquoi veux-tu tant t'occuper des problèmes des
autres? Les Américains...»

AMITIÉ. L'amitié, c'est l'amour en habit de semaine.
Amitié. S'emploie entre amis pour dire que l'amitié est
un sentiment à cultiver.

AMOUR. Il n'y a pas d'amour sans jalousie. *Amour.*
Se dit en France.

L'amour, ça bat la police. *Amour.* L'amour défie tous
les interdits. Boutade.

L'amour est aveugle. *Amour.* L'amour ne répond guère
à la raison. Exprime parfois le regret de voir quelqu'un
céder à un amour déraisonnable. ❖ Amour aveugle raison (France).

L'amour fait le bonheur. *Amour.* Paraît s'inspirer de:
«L'argent ne fait pas le bonheur.»

Tout amour qui passe l'eau se noie. *Amour.*

AMOUREUX. Les amoureux sont seuls au monde.
Amour. Les amoureux sont trop absorbés par leurs sentiments pour se préoccuper d'autrui.

ÂNE. Donnez de l'avoine à un âne, il vous pétera au nez. *Ingratitude.* La bonté se mérite l'ingratitude. ❖ Si vous donnez de l'avoine à un âne, il vous paiera avec des pets (contemporain); Chantés à l'asne, il vous fera des pés (ancien, France).

ANGES. En parlant des anges, on leur voit les ailes.
Arrivée/départ. Se dit notamment d'un enfant qui se présente au moment même où l'on parle de lui.

ANGUILLE. Il y a toujours anguille sous roche.
Caché. Il y a toujours quelque chose de caché, qui nous échappe. Se dit notamment de qqn qui change souvent d'opinion. ❖ Y avoir anguille sous roche (loc. prov., France).

ANNONCE. Grosse annonce, petit magasin. *Aspect.*
Aspect impressionnant, valeur douteuse. Se dit notamment d'une femme. Voir: Petite *enseigne,* gros magasin.

APPARENCES. Sauvez les apparences et vous sauvez tout. *Aspect.* Justifie l'attitude de qui ne s'appuie que sur l'apparence. ❖ L'habit ne fait pas le moine, mais le répare (Auvergne, France).

APPÉTIT. L'appétit vient en mangeant. *Action.* La satisfaction croît avec la pratique. Se dit notamment du travail. Aussi, au sens littéral. Cité chez Rabelais *(Gargantua)*. En France, l'énoncé signifie: plus on possède, plus on désire.

APPRENDRE. On apprend à tout âge. *Connaissance.* L'expérience, dit-on, est la somme de nos erreurs. ❖ On n'est jamais trop vieux pour apprendre (France).

ARBRE. L'arbre tombe toujours du côté où il penche. *Action.* On agit selon ses inclinaisons. Employé par les forestiers au sens littéral. Se dit notamment d'une conduite répréhensible. ❖ Comme on fait son lit on se couche (France).

On ne juge pas l'arbre à son écorce. *Aspect.* On ne doit pas juger sur l'apparence. Précepte moral. ❖ L'habit ne fait pas le moine (France).

ARGENT. L'argent contrôle le pays. *Argent.* Facteur omniprésent, l'argent, dans cet axiome, témoigne de la dépendance économique. ❖ Qui a argent, il fait ce qu'il veut (France).

L'argent fait (bien) le bonheur. *Argent.* Voir: L'*argent* ne fait pas le bonheur... ❖ Argent comptant rend l'homme content (France).

L'argent n'a pas d'odeur. *Argent.* Seule compte la fortune puisque l'argent ne dévoile pas son origine. Valorisation de l'argent en soi. Réflexion attribuée à l'empereur Vespasien et rapportée par Suétone. Passé en français, l'énoncé a été adopté dans le langage courant. Se dit en France. «Le maire a fait fortune dans l'alcool frelaté;

l'argent…» ❖ L'argent n'a point d'odeur (XIXe, France).

L'argent n'entre pas (rentre) par la porte mais sort par les fenêtres. *Argent.* L'argent se gagne difficilement mais se dépense avec facilité. Se dit notamment à propos d'une femme dépensière ou d'un mari dépensier.

L'argent ne fait pas le bonheur (mais contribue à la bonne humeur, mais ça ne fait pas le malheur). *Argent.* Fortune n'est pas félicité. ❖ L'argent ne fait pas le bonheur (mais il y contribue) (France).

L'argent ne pousse pas dans les arbres. *Argent.* L'argent est difficile à gagner. Incitation à l'économie.

Perte d'argent n'est pas mortelle. *Argent.* Se dit pour consoler celui qui subit un revers financier, ou pour se consoler soi-même d'un revers de fortune. Adaptation vraisemblable de l'énoncé français, ci-après. ❖ Plaie d'argent n'est pas mortelle (France).

Quand on contrôle l'argent, on contrôle les hommes. *Argent.* ❖ Argent fait perdre et prendre gens (XVIe, France).

ARRANGEMENT. Le plus petit (chéti') arrangement vaut mieux que le meilleur procès. *Justice.* Une entente, même imparfaite, est préférable à tout recours en justice. ❖ Un méchant accommodement vaut mieux qu'un bon procès (France).

ARRIVER. Arrive qui plante. *Sort.* Advienne que pourra. ❖ Vienne qui plante (XVIIᵉ, France).

ASSIS. Cinq minutes assis vaut mieux que dix minutes debout. *Réflexion.* Réflexion vaut mieux qu'agitation.

ASSIETTE AU BEURRE. C'est pas toujours au même l'assiette au beurre. *Chance.* La fortune (ou l'infortune) n'échoue pas toujours au même. ❖ Assiette au beurre (loc., France).

ATTENDRE. Tout arrive à point à qui sait attendre. *Patience.* La patience vient à bout de tout. ❖ Tout vient à point (à) qui sait (peut) attendre (XVIᵉ, France).

AUJOURD'HUI. Remets jamais à demain ce que tu dois faire aujourd'hui. *Aujourd'hui/demain.* Ne remets jamais à plus tard ce que tu dois faire maintenant. Utilisé notamment par les parents à l'adresse des enfants. Pour dire qu'il ne faut pas retarder inutilement une tâche.

AUMÔNE. L'aumône n'appauvrit pas. *Charité.* L'aumône ne peut que profiter. Employé souvent par qui pratique ou profite de l'aumône. ❖ Donner l'aumône n'appauvrit personne; Joli chemin n'allonge pas, prière ne retarde pas, aumône n'appauvrit pas (Auvergne, France).

AVERTISSEMENT. Un bon avertissement en vaut deux. *Prévoyance.* Adaptation vraisemblable du proverbe français, ci-dessous. ❖ Un homme averti en vaut deux (France).

AVOIR. Quand on n'a pas ce qu'on veut, on prend ce qu'on a. *Besoin*. Mieux vaut se contenter de ce que l'on possède. ❖ Ne pouvant ce que l'on veut, il faut vouloir ce que l'on peut (France).

B

BACUL. Il ne faut pas chier sur le bacul. *Travail.* Il ne faut pas abandonner, rechigner sur le travail. *Bacul*: pièce de bois de l'avant-train d'une voiture, à laquelle s'attachent les traits du cheval.

BAGUE. Bague au doigt, corde au cou. *Mariage.* Le mariage est contraignant. Mise en garde à l'adresse des futurs mariés. Dit souvent en boutade. «Ne te réjouis pas trop rapidement, mon Jean-Paul; tu sais ce qu'on dit: ''Bague au doigt...''»

BÂILLER. Qui bâille avant six heures se couche après minuit. *Tôt/tard.* Se dit à la vue de qqn qui bâille.

BAISER. Ça commence par un baiser, ça finit par un bébé. *Amour.* Boutade familière. Mise en garde d'une jeune fille à l'adresse d'un garçon trop entreprenant.

BAPTISTE. C'est triste (après) la mort de Baptiste. *Peine.* Formule amusante prononcée à l'adresse de qui se désole. Pour dire qu'un événement n'est pas si tragique qu'il y paraît.

BÂTIR. Qui bâtit pâlit. *Travail.* Qui travaille s'épuise.

BEAU. Il fait beau, il fait chaud, ça pue puis on est bien. *Bonheur.* C'est le bonheur parfait. Éloge du plaisir béat.

Il faut souffrir pour être beau (belle). *Beauté.* Se dit surtout des petits inconvénients des soins esthétiques. Employé en France.

BEAU TEMPS. Après la pluie le beau temps. *Bonheur.* Le bonheur succède au malheur. Attesté en France dès le XIIᵉ siècle dans le *Liber Parabolarum* d'Alain de Lille. Énoncé général.

BEAUX. On ne peut pas tous être beaux et savoir téléphoner (être chanceux). *Sort.* On ne peut avoir toutes les qualités. ❖ Beau et bon ne sont pas souvent compagnons (France).

BEAUTÉ. La beauté n'apporte (emporte) pas à dîner (la laideur n'apporte pas à souper). *Beauté.* La beauté ne fait pas vivre [l'un] (la laideur non plus) [l'autre]. À qui profère la première partie de la formule, l'autre répliquera souvent par la seconde.

La beauté avant l'âge. *Beauté.* Se dit souvent par qui veut passer devant qqn. Aussi, pour marquer la préséance d'une jolie personne, notamment d'une femme.

BÉBÉS. Les bébés ne sont pas tous dans les carrosses [poussettes]. *Beauté.* Se dit d'une jolie personne ou d'un comportement puéril.

BÉNÉDICTIONS. L'abondance de bénédictions ne nuit pas. *Religion.* La protection divine est bénéfique. Adaptation probable de la formule d'origine française (ci-après). ❖ Abondance (de biens) ne nuit pas (France).

BESOGNE. Il ne faut pas aller trop vite en besogne. *Empressement.* Mieux vaut agir sans précipitation. Mise en garde contre l'action hâtive. ❖ Jamais besogne faite avec impétuosité et empressement ne fut bien faite (*Roman de Renart*, XIIIe, France).

BESOIN. Dans le besoin on connaît ses amis. *Amitié.* Le malheur révèle les amitiés sincères. Se dit notamment par celui qui souffre de déboires financiers. Exprime parfois le ressentiment. ❖ Au besoin connaît-on l'ami (France).

BÊTE. En parlant de la bête, on lui voit (elle montre) la tête (on la voit apparaître). *Arrivée/départ.* Se dit de l'arrivée de qqn au moment précis où l'on s'entretient à son sujet. ❖ Quand on parle du loup on en voit la queue (XVe, France).

Il vaut mieux endurer sa bête que de la tuer. *Patience.* Vaut mieux endurer son mal que d'abdiquer. Incitation à la patience et à l'abnégation. ❖ Plutôt souffrir que mourir, c'est la devise des hommes (La Fontaine, *Fables*).

La beauté s'en va mais la bête reste. *Naturel.* La jeunesse s'effrite mais le naturel demeure. Se dit notamment d'une femme.

Nul n'est trop bête en son pays. *Milieu.* Dans son milieu d'origine, chacun jouit de l'assurance et de la considération d'autrui. Exaltation de l'appartenance sociale. Proféré parfois en boutade.

Quand on est veau, c'est pour un temps; quand on est bête, c'est pour tout le temps. *Caractère.* On ne se départit jamais d'un mauvais caractère.

BÉTON. Il n'y a rien de coulé dans le béton. *Permanence.* Tout peut changer, se modifier. Se dit d'une conjoncture, d'une opinion quelconque. «L'organisme peut changer, bien sûr: il n'y a rien...»

BIBITES. Les petites bibites ne mangent pas les grosses. *Épreuve.* Les petits empêchements n'arrêtent guère la personne déterminée. Encouragement à ne pas se laisser arrêter par les ennuis passagers. ❖ Ou vente ou pleut, si vet qui estuet [celui qui doit aller va] (XIIIᵉ, France).

BIEN. Celui qui mange son bien en harbe [herbe] à la fin mange de la marde. *Empressement.* Celui qui trop hâtivement veut tirer profit de qqch. en perd la jouissance. Pour dire qu'il vaut mieux attendre que qqch. arrive à pleine maturité pour en tirer profit. ❖ Qui mange son capital prend le chemin de l'hôpital (Auvergne, France).

Fais (faites) du bien à un vilain (aux humains), il te chiera (et il te fait, ils vous feront) dans les mains (la main). *Ingratitude.* La bonté se mérite souvent l'ingratitude. Voir: cochon. ❖ Faites du bien au vilain, il vous rendra du mal; Oignez vilain, il vous poindra, poignez vilain, il vous oindra (France).

**Fais du bien (donne à manger) à un cochon et il vien-
dra chier (faire) sur ton perron.** *Ingratitude.* Se dit souvent par celui qui est mal remercié de son aide. ❖ Si vous
donnez de l'avoine à un âne, il vous paiera avec des pets
(contemporain); Chantez à l'âne, il vous ferra (frappera)
des pieds (XVIᵉ, France).

Faites le bien et vous ferez des ingrats. *Ingratitude.* ❖
Dépends un pendard, il te pendra (XVIᵉ, France).

Le bien d'autrui mal acquis n'enrichit pas. *Malhonnêteté.* ❖ Bien mal acquis ne profite jamais (contemporain);
D'injuste gain juste daim (XVIᵉ, France).

BISCUIT. Il ne faut pas s'embarquer sans biscuit. *Prévoyance.* Il ne faut pas s'engager sans précautions (dans
une entreprise). Ce proverbe aurait été employé à l'origine par les marins. En effet, il était d'usage d'embarquer autrefois sur les navires une provision de biscuits
— sorte de pain très dur qui se conservait bien au cours
des longues traversées. Se dit en France. ❖ S'embarquer
sans biscuit (loc. prov., France).

BLÉ. Quand le blé est mûr, on le fauche. *Occasion.*
Il faut agir au moment opportun. ❖ Quand la poire est
mûre, il faut qu'elle tombe (XIXᵉ, France).

BŒUF. Chie le bœuf, il y a de la paille. *Aspect.* Une
réalité impressionnante aboutit parfois à de maigres résultats. Sur le thème: La montagne qui accouche d'une souris. ❖ Les grands bœufs ne font pas les grands labours
(France).

BOIRE. Qui a bu boira (dans sa peau mourra le crapaud, le crapote). *Naturel.* Le naturel ne se modifie guère. Pour dire que celui qui a commis une faute risque de récidiver. Ainsi, d'un ivrogne qui risque fort de ne pouvoir se défaire de sa mauvaise habitude, ou d'un voleur qui aura toujours une propension au vol. Qualifie souvent une activité répréhensible. ❖ En sa peau mourra le renard (XVIIIe, France).

BON DIEU. Le Bon Dieu le sait, le diable s'en doute. *Connaissance.* Personne ne le sait. ❖ Dieu seul le sait (France).

BONNE HEURE (DE). Se coucher de bonne heure, se lever de bonne heure, amènent la santé, la richesse et le bonheur. *Santé.* ❖ Coucher de poule et lever de corbeau écartent l'homme du tombeau (Franche-Comté, France).

BONNET. Que celui à qui le bonnet fait le mette. *Culpabilité.* Que celui qui se sent coupable en prenne son parti. Voir: Que celui qui se sent *morveux* se mouche. ❖ À bon entendeur, salut (France)!

BOUTONS. Les boutons de soutane se digèrent mal. *Clergé.* Il est malsain de parler en mal du clergé.

BRASSE. On ne mesure pas un homme à la brasse. *Taille.* On ne juge pas une personne à sa taille. *Brasse*: ancienne mesure de longueur marine égale à cinq pieds (1,60 m). ❖ On ne mesure pas les hommes à l'aune [anciennement: 1,18 et 1,20 m] (France).

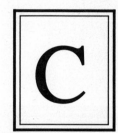

CANON. On ne tire pas de [du] **canon pour écraser une punaise.** *Réaction.* On n'utilise pas de moyens disproportionnés aux fins.

CARTES. Chanceux aux cartes, malchanceux en amour. *Amour.* Se dit en boutade par des partenaires aux cartes. Synonyme de: Heureux au *jeu,* malheureux en amour (voir cet énoncé). ❖ Heureux en jeu, malheureux en femme (France).

Malchanceux aux cartes, chanceux en amour. *Jeu.* Se dit en boutade. Antonyme de l'axiome précédent.

CAUTÈRE. Faut pas mettre un cautère (un notaire) sur une jambe de bois. *Mesure.* Mieux vaut s'abstenir de mesures inutiles ou inefficaces. ❖ Un cautère [cataplasme] sur une jambe de bois (loc. prov., France).

CAVES. Les caves ne sont pas toutes en dessous des maisons. *Sottise.* Il y a partout des sots. ❖ Quand Jean Bête est mort, il a laissé bien des héritiers (France).

CAVIAR. On ne donne pas (on ne peut pas donner) du caviar (à manger) à des cochons. *Valeur.* On ne fait pas de don ou de faveur à des gens indignes. ❖ On ne jette pas de perles à des pourceaux (France).

CENNES. Avec (c'est avec) les cennes (les sous) [cents], on (qu'on) fait les piastres [dollars]. *Argent.* Les petites économies mènent aux grandes. Didactique. Éloge de l'épargne. ❖ Les petits ruisseaux font les grandes rivières (France).

Cinq cennes [cents] comptant, cinq cennes tout le temps. *Argent.* L'emprunt contraint longtemps le débiteur. Mise en garde contre l'usage du crédit. ❖ Emprunt n'est pas avance (France).

CHAISE. Qui laisse sa chaise l'hiver la perd. *Abandon.* Qui abandonne sa position ou sa situation la perd. Façon amusante de dire que celui qui abandonne sa place perd tous ses droits. Se dit souvent par celui qui profite de l'abandon d'autrui. ❖ En été comme en hiver, qui quitte sa place la perd (XVIIᵉ, France).

Qui va à la pêche perd sa chaise. *Abandon.* Qui abandonne sa situation ou sa position ne peut la récupérer. Se dit à l'adresse de qui a quitté sa place et désire ensuite la récupérer. «Tu es parti depuis trop longtemps, ta place est prise par un autre; qui va à la pêche…» ❖ Qui va à la chasse perd sa place (France).

CHAMP. Le champ du voisin paraît toujours plus beau. *Envie.* Le bien d'autrui offre toujours plus d'attraits. ❖ Moisson d'autrui plus belle que la sienne (France).

CHANCE. La chance sourit aux audacieux. *Audace.*
Apologie de l'audace. ❖ Du latin: *Audaces fortuna juvat.*
La fortune aide aux audacieux (XVIIIe, France).

**CHANDELLE. Il ne faut pas brûler la chandelle par
les deux bouts.** *Action.* Il ne faut pas s'épuiser de travail
ou de plaisir. Se dit souvent des divertissements exces-
sifs. ❖ Brûler la chandelle par les deux bouts (loc. prov.,
XVIe, France).

CHANTER. Chanter, c'est prier deux fois. *Religion.*
Le chant (religieux) supplante la prière.

CHAPEAU. Si le chapeau te fait, mets-le. *Culpabilité.*
Si tu te sens coupable, prends-en ton parti. ❖ Qui se sent
morveux se mouche (France).

CHARBONNIER. Le charbonnier est maître chez soi.
Milieu. Chacun règne chez lui. Apologie de la propriété
privée. Se dit en France. ❖ Charbonnier est maître chez
soi (XVIIe, France).

**CHARITÉ. Charité bien ordonnée commence par soi-
même.** *Individualité.* Du latin médiéval: *Prima caritas
incipit a seipso.* Énoncé général. La charité n'a jamais
appauvri. *Charité.* La charité profite à son auteur. Se dit
surtout par qui pratique la charité. ❖ Donner l'aumône
n'appauvrit personne (France).

**CHARRUE. Il ne faut pas mettre la charrue devant
les (en avant des) bœufs.** *Empressement.* Il ne faut pas
faire avant ce qui doit être fait après. ❖ Mettre la charrue devant (avant) les bœufs (loc. prov., XVIIIe, France).

CHASSE. Un chien qui va à la chasse perd sa place. *Abandon.* Qui abandonne sa position ou sa situation ne peut la reprendre. Se dit notamment de l'absent dont la place a été accaparée par autrui. La version française, ci-après, qui procéderait du titre d'une comédie de l'écrivain lyonnais Joachim Duflot, signifie que celui qui se met en quête d'un plus grand bien perd souvent celui qu'il possède déjà. ❖ Qui va à la chasse perd sa place (France).

CHASSER. Un bon (tout) chasseur sachant chasser doit savoir (peut) chasser sans son chien. *Aide.* Une personne de valeur doit pouvoir se passer d'aide. Vire-langue à l'origine, la formule est passée en proverbe.

CHAT. Chat échaudé craint l'eau froide. *Expérience.* Une mauvaise expérience passée rend prudent à l'avenir. Se dit en France. ❖ Chat eschaudez iaie creint (XIIIᵉ, France).

En parlant du chat, on lui voit la queue. *Arrivée/départ.* En parlant de qqn, il arrive justement. Se dit de l'arrivée d'une personne au moment même où l'on s'entretient à son sujet. ❖ Quand on parle du loup, on en voit la queue (XVᵉ, France).

Il y a plus d'une façon d'étrangler un chat. *Moyen.* Il y a plus d'une façon de venir à bout de qqch.

CHATS. À la nuit noire, tous les chats sont de la même couleur. *Opinion.* Dans l'incertitude, tout a même valeur. ❖ La nuit, tous les chats sont gris; De nuit tout blé semble farine (France).

La nuit tous les chats sont noirs (gris). *Opinion.* Dans le doute, toutes les opinions se valent. Réfère notamment à des activités répréhensibles, en voulant dire que tous les responsables sont indistinctement coupables. Se dit également de celui qui veut cacher sa pensée derrière des propos évasifs. ❖ La nuit tous les chats sont gris (France).

CHATTE. Chatte échaudée craint l'eau frette [froide]. *Expérience.* Une mauvaise expérience passée rend prudent à l'avenir. Utilisé notamment en Gaspésie. ❖ Chat échaudé craint l'eau froide (France).

CHEFS. Il y a beaucoup de chefs (mais) pas (beaucoup) d'Indiens. *Autorité.* Tous veulent commander mais peu sont disposés à obéir.

CHEMIN. Beau chemin ne rallonge pas. *Action.* La facilité n'amoindrit guère la valeur. Formule justificative. ❖ Joli chemin n'allonge pas, prière ne retarde pas, aumône n'appauvrit pas (Auvergne, France).

CHEMINS. Les meilleurs chemins sont toujours les plus courts. *Action.* Les solutions les plus simples sont les meilleures.

Tous les chemins mènent à Rome. *Moyen.* Il y a plusieurs moyens d'atteindre un résultat. Se dit pour justifier l'emploi d'un moyen quelconque. Empruntée de l'italien *(Tutte le strade conducono a Roma)*, la formule a été popularisée par le Saint-Siège romain au sein du clergé. Énoncé général.

CHEMISE. Il est trop tard pour louer sa chemise quand on a chié dedans. *Regret.* Les regrets tardifs sont

inutiles. ❖ Plus le temps de fermer l'écurie quand le cheval en est sorti (Auvergne, France).

**CHEVAL. À cheval donné (cheval donné), on ne
regarde pas la dent (bride).** *Don.* Il ne faut jamais rechigner sur un don. La qualité des dents du cheval indique
son âge. Ainsi, ce proverbe signifiait à l'origine qu'à un
cheval donné, on ne regarde pas l'âge. Précepte de moralité sociale. Se dit en France. «Ce cadeau ne te plaît pas?
Tu sais, à cheval donné...» ❖ Cheval donné ne doit-on
en dens regarder (XIIIᵉ); Cheval donné ne doit-on en
bouche garder (ancien, France).

**On peut mener un cheval à l'abreuvoir mais on ne peut
(pas) le forcer à boire.** *Force.* On ne peut forcer quiconque à agir contre sa volonté.

On ne demande pas à un cheval s'il mange de l'avoine.
Évidence. On ne met pas en doute une évidence.

On ne demande pas à un cheval de pondre un œuf.
Impossible. On ne demande pas l'impossible. ❖ D'un âne
on ne peut pas demander de la viande de bœuf (France).

**CHEZ-NOUS. Un petit chez-nous vaut deux châteaux
en Espagne.** *Bien.* On préfère son bien, même modeste,
à celui d'autrui. ❖ Il vaut mieux labourer avec ses vaches
qu'avec les bœufs du voisin (Auvergne, France).

Un petit chez-nous vaut un grand ailleurs. *Bien.* On
préfère son bien, même modeste, à celui d'autrui. Exaltation du milieu naturel. ❖ Un petit chez-soi vaut mieux
qu'un grand chez les autres (Bourbonnais, France).

CHIEN. Bon chien de chasse tient de race. *Famille.*
On tient de son hérédité. Jugement favorable. Signifie souvent que les bons enfants tiennent des parents. ❖ Bon chien chasse de race (XIXe, France).

Chien hargneux a toujours l'oreille déchirée. *Colère.*
La colère se retourne toujours contre son auteur. Précepte moral. Pour dire qu'il vaut mieux ne pas céder à la colère. Cité chez La Fontaine, *Fables*: «Le chien à qui on a coupé les oreilles.» Se dit en France.

Faut pas envoyer un chien à la chasse à coups de bâton.
Force. Il ne faut pas forcer quiconque à agir contre sa volonté. Se dit, en général, d'un enfant rebelle.

Il n'est pas permis de tuer le chien pour sauver la queue de la chatte. *L'un/l'autre.* Il ne faut pas appliquer un remède pire que le mal ou perdre l'un pour sauver l'autre. Précepte moral. «Tu as abandonné ta famille pour aider un ami? Voyons! Il n'est pas permis…» ❖ Mieux vaut laisser son enfant morveux que de lui arracher le nez (Montaigne, *Essais,* France).

Il n'y a pas rien qu'un chien qui s'appelle Pitou (Coly, Fido, Pataud, etc.). *Nom.* Il y a plusieurs façons d'envisager ou de nommer quelque chose. ❖ Il y a plus d'un âne à la foire qui s'appelle Martin (XVIIIe, France).

Il ne faut pas réveiller le chien (chat) qui dort. *Passé.*
Mieux vaut ne pas ressusciter d'anciens sujets de discorde, un sujet oublié. Se dit en général d'un sujet désagréable. Il s'agissait jadis du chien, gardien de la maison. L'énoncé se rencontre chez Rabelais: «Il ne faut pas esveiller le

chien qui dort.» ❖ Qui réveille le chien qui dort, s'il mord, il n'a pas tort (Auvergne); Il ne faut pas réveiller le chat qui dort (XVIᵉ, France).

Il ne faut pas tuer son chien parce que l'année est mauvaise. *Abandon.* Il ne faut pas abandonner devant l'épreuve passagère. Formule d'encouragement. «Tu as un mauvais bulletin. Et alors! Il ne faut pas tuer son chien...»

Le mot chien n'a jamais mordu personne. *Moquerie.* La moquerie n'avilit personne. Pour dire que l'insulte et la calomnie ne peuvent nuire à qui en est la cible. «Vous avez un esprit pourri. Je vous en prie, ma chère madame, le mot chien...» (Claude Jasmin, émission *Arcand en direct,* réseau Quatre Saisons, septembre 1989).

On n'attache pas son chien avec des saucisses. *Économie.* Les fausses économies ne servent à rien. La locution française, ci-après, signifie: être prodigue. ❖ Ne pas attacher ses chiens avec des saucisses (loc. prov., France).

On ne laisse pas un chien dehors. *Charité.* On se doit d'héberger quiconque demande l'hospitalité.

On ne mène pas un chien de force à la chasse. *Force.* On ne peut obliger personne à agir contre sa volonté. Proféré notamment par les adultes, en parlant d'un enfant désobéissant.

Qui en veut à son chien, on dit qu'il enrage. *Prétexte.* Les prétextes se présentent toujours d'emblée. Déformation vraisemblable de l'énoncé français (ci-après).

❖ Qui veut noyer son chien l'accuse de la rage (Molière, *Les femmes savantes,* France).

Tout chien qui aboie ne mord pas. *Aspect.* Qui est le plus bruyant n'est pas toujours le plus à craindre. ❖ Chien qui aboie ne mord pas (France).

Un bon chien retrouve toujours son os. *Habitude.* On retrouve invariablement ses habitudes.

Un bon chien en fait pisser un autre. *Comportement.* L'attitude est contagieuse. ❖ Un chien qui pisse fait pisser l'autre (Belgique); Un bon bâilleur en fait bâiller deux (XIXe, France).

Un chien vaut mieux que deux angoras. *Certitude.* Une certitude vaut mieux qu'une promesse ou qu'une incertitude. On pourra faire précéder la formule de l'énoncé d'origine française (ci-dessous), ou encore, à l'occasion, employer isolément la première partie. Variante plaisante de l'énoncé bien connu. ❖ Un «tien» vaut mieux que deux «tu l'auras» (France).

Un chien regarde bien un évêque. *Hiérarchie.* Le plus humble a le droit de s'adresser à un supérieur ou de porter la vue sur un supérieur. Se dit notamment à qui se plaint d'être observé ou fixé du regard. Se retrouve en France. ❖ Un chien regarde bien un évêque et un chat un avocat (Auvergne, France).

Un chien vaut mieux que deux petits verrats. *Certitude.* Boutade. Mieux vaut une certitude qu'une promesse. Déformation populaire de: Un tiens vaut mieux que deux

tu l'auras. Voir: Un *chien* vaut mieux que deux angoras.
❖ Un «tiens» vaut mieux que deux «tu l'auras» (France).

Vous ne pouvez pas empêcher un chien de chier sur une église. *Moquerie.* On peut difficilement faire taire la moquerie (notamment à propos du clergé).

CHIENS. En riant les chiens mordent. *Colère.* Se dit d'une personne colérique. ❖ Quand il rit, les chiens se battent (loc. prov., France).

On ne nourrit pas les chiens avec des bouts de saucisses. *Économie.* De l'inutilité de l'excès d'économie. Sur le thème: Faire des économies de bouts de chandelles. Voir: On ne mange pas des épelures de bananes. ❖ L'argent n'a pas de queue (XIXe, France).

Si (tous) les chiens (de Paris) avaient des scies, il n'y aurait pas (plus) de poteau. *Supposition.* D'une supposition absurde. ❖ Si le grand était vaillant et le petit patient et le rousseau loyal, tout le monde serait égal (France).

Si les chiens chiaient des haches (scies), ils se fendraient (scieraient) le cul. *Supposition.* Réplique à une supposition absurde. Voir: Si les *poules* pondaient des haches... «Ah! Si je gagnais le million à la loterie...» [L'autre:] «Si les chiens...» ❖ Du latin médiéval: Si le ciel tombait, il y aurait bien des alouettes prises; Avec des «si», on mettrait Paris dans une bouteille (France).

CHOISIR. Qui choisit prend pire. *Choix.* Mieux vaut s'abstenir de choisir. Autrement dit, vaut mieux ne pas

trop s'attarder à choisir. Se dit souvent par qui est contraint d'exercer ou qui contraint autrui à exercer un choix
difficile. «Il est grand temps de te décider: qui choisit...» ❖ Qui choisit prend le pire (France).

CIEL. L'essentiel c'est le ciel. *Bonheur.* Formule popularisée il y a quelques années dans une émission radiophonique religieuse.

CIMENT. Il n'y a rien de coulé dans le ciment. *Permanence.* Tout change, tout évolue. Voir: *Béton.*

**CISEAUX. Rien comme (vive) les vieux ciseaux pour
couper la soie.** *Expérience.* L'expérience vient à bout de
tout. Se dit notamment par les gens plus âgés. «À soixante
ans, dans le travail, il supplantait n'importe quel jeune:
rien comme les vieux ciseaux...» ❖ Vieux bœuf fait la
raie droite (Auvergne, France).

**CLOCHE. Qui n'entend qu'une cloche n'entend qu'un
son.** *Jugement.* Qui n'écoute qu'une partie de la vérité
ne peut juger équitablement. Se dit en France.

CLOCHER. Faut pas chier sur le clocher. *Âge.* Il ne
faut pas mépriser les vieillards. Moralité populaire. «Ne
te moque pas de ton grand-père, mon petit Villeneuve;
faut pas...»

**CLÔTURE. Ne mets jamais la clôture avant de plan-
ter les piquets.** *Empressement.* N'accomplis jamais avant
ce qui doit l'être après. Autrement dit, ne jamais présa-
ger des événements. ❖ Il ne faut pas chômer les fêtes
avant qu'elles soient venues (France).

CLOU. À force de taper sur le clou, on finit par l'enfoncer. *Persévérance.* La persévérance mène au succès. ❖ Goutte à goutte, l'eau creuse la pierre (contemporain); Au long aller la lime mange le fer (XIXᵉ, France).

Chaque patte veut son clou. *Problème.* À tout problème sa solution. Employé à l'origine par les forgerons et passé dans l'usage.

COCHON. Ça ne se soûle pas, un cochon. *Ivresse.* Un buveur invétéré ne s'enivre guère. Se dit à celui qui boit beaucoup sans apparemment s'enivrer. Péjoratif. Ainsi, offrant un verre à un bon buveur, on dira volontiers: «Bois, bois… ça ne se soûle pas, un cochon!»

Cochon (à cochon), cochon et demi. *Réaction.* On trouve toujours pire que soi. Version populaire de la loi du Talion. Pour dire qu'à l'agression, il faut répondre «Ah! Tu veux me faire taire. Eh bien, à cochon…» ❖ À renard renard et demy (XVIᵉ); À trompeur trompeur et demi (XVIᵉ, France).

Donne un bonbon (donne à manger) à un (fais du bien à ton) cochon, il viendra (pour qu'il vienne) chier sur ton perron. *Ingratitude.* La bonté se mérite l'ingratitude. ❖ Si vous donnez de l'avoine à un âne, il vous paiera avec des pets (France).

Graisse les bottes d'un cochon et il te botte le cul avec. *Ingratitude.* La bonté se mérite souvent l'ingratitude. Se dit à propos de quelqu'un d'ingrat. Autrefois, les bûcherons chaussaient des bottes de cuir qu'ils faisaient sécher après le travail, les graissant ensuite afin de leur conserver leur souplesse. Parfois, certains faisaient graisser leurs bottes par d'autres, leur reprochant ensuite d'avoir mal fait le travail, d'où le proverbe. ❖ Graissez les bottes d'un vilain, il dira qu'on les lui brûle (XIXᵉ, France).

COCHONS. Les cochons sont soûls [l'un], [l'autre]. *Homme.* Jeu de réplique amusant à propos d'un rot ou d'un gaz. La première partie est proférée notamment par un homme — celui qui a lancé le rot ou le gaz —, la deuxième par une femme.

On n'a jamais (on n'a pas) gardé les cochons ensemble. *Savoir-vivre.* La familiarité est déplacée. Se dit pour signaler une trop grande familiarité. «Mêle-toi donc de tes affaires, Latour, on n'a pas gardé les cochons ensemble...» (Marcel Dubé, *Un simple soldat*). ❖ Il semble que nous ayons gardé les cochons ensemble (Dictionnaire de l'Académie, XIXᵉ, France).

On n'engraisse pas les cochons à l'eau claire. *Nourriture.* On ne donne pas de mets fins à des malpropres ou on ne s'embarrasse pas de scrupules. Se dit souvent en boutade, à propos d'une nourriture fruste. Se dit notamment pour inciter quelqu'un à manger. «Mange ton gruau, mon petit démon, on n'engraisse pas...» ❖ On n'engraisse pas les cochons avec de l'eau claire (France).

Quand les cochons sont soûls, ils fouillent dans l'auge. *Savoir-vivre.* L'ivresse avilit. Se dit de manières frustes. ❖ Il n'est pas à soi qui est ivre (France).

Si les cochons avaient des ailes, ça ferait des beaux serins. *Supposition.* Se dit en réponse à une supposition absurde. ❖ Quand les chats siffleront, à beaucoup de choses nous croirons (France).

CŒUR. Cœur amoureux soupire (souvent) pour deux. *Amour.* L'amour accroît les soucis. Se dit d'une personne amoureuse qui voit souvent ses préoccupations et ses soucis doubler. «Tu as l'air bien soucieuse, ma Jeannine, cœur amoureux...»

Cœur content soupire souvent. *Bonheur.* Les soupirs sont un indice de satisfaction (notamment amoureuse). Réfère surtout au sentiment amoureux. Se dit en France.

Cœur qui soupire n'a pas (tout) ce qu'il désire. *Besoin.* Les soupirs témoignent d'un besoin insatisfait (notamment amoureux). Vérité d'observation. Se dit notamment d'un manque amoureux. Formule attribuée à l'auteur dramatique français Louis Carrogis, dit Carmontelle (1717-1806). Se retrouve en France.

Loin des yeux, près du cœur. *Amour.* L'éloignement rapproche les personnes. Antonyme de l'adage français (XVIIᵉ) inspiré de Properce (Élégie): Loin des yeux (de l'œil), loin du cœur.

Mains froides, cœur chaud. *Aspect.* Sous l'aspect distant se cache parfois l'ardeur. Vérité physiologique. Se dit en France. ❖ Froides mains, chaudes amours (France).

CŒUR (À). Je (ne) prends plus ça à cœur, je prends ça à l'heure. *Travail.* Rien ne sert de se dépenser à la tâche.

COLÈRE. Il faut toujours remettre sa colère au lendemain. *Colère.* Il faut retenir sa colère. Précepte moral. Se dit pour calmer sa colère ou celle d'autrui. «Ne te fâche pas si vite, tit Jos, il faut toujours remettre sa colère…» ❖ Il faut toujours faire coucher la colère à l'huys [la porte] (France).

COLLÉ. Collé (colleux) hier, collé (colleux) aujourd'hui, collé (colleux) demain. *Aujourd'hui/ demain.* Se dit des éternels ennuyeux.

COLOMBE. On ne trouve pas de colombe dans un nid de corbeau. *Milieu.* Un milieu défavorisé ne peut engendrer de bonnes personnes. Se dit notamment à propos d'un enfant issu d'un mauvais milieu. ❖ La brebis noire ne fait pas d'agneaux blancs (Auvergne, France).

COMMENCER. Qui commence bien finit bien. *Action.* L'action bien amorcée mène à la réussite. Énoncé général. «Bien gérée dès le début, son entreprise est aujourd'hui un succès: qui commence bien…» ❖ Le bon commencement attrait [attire] la bonne fin (XVᵉ, France).

COMPARER (SE). Quand je me regarde je me désole, quand je me compare, je me console. *Comparaison.* ❖ Comparaison n'est pas raison (France).

Quand je me compare je me désole, quand je me regarde je me console. *Comparaison.* Pendant de l'énoncé précédent. La valeur n'est pas fonction d'autrui. ❖ Comparaison n'est pas raison (France).

COMPTES. Les bons comptes font les bons amis.
Argent. Payer son dû favorise la bonne entente. Se dit
par celui qui s'acquitte de ses obligations, pour marquer
la satisfaction. Se retrouve (XIXe) en France. «Je tiens
absolument à te payer pour ton temps, les bons comptes...»

CONSENTIR. Celui qui ne dit mot consent. *Opinion.*
Celui qui ne s'oppose pas approuve tacitement. Proféré
souvent par les enfants dont les demandes feignent d'être
ignorées par les parents. Indique notamment que celui qui
se tait est aussi coupable que celui qui accomplit un acte
répréhensible. ❖ Qui ne dit mot consent (France).

COQ. Le coq gratte puis (et) la poule ramasse.
Mariage. L'homme travaille, la femme économise. Se dit
particulièrement d'argent, de la femme qui tient les cor-
dons de la bourse.

**Tout coq qui chante le matin a souvent le cou cassé
(dort) le soir.** *Inconstance.* À une trop grande exubérance
succède la peine ou le chagrin. Autrement dit, il faut se
méfier d'une trop grande joie. «Ne te réjouis pas trop rapidement de ta réussite: ''Tout coq...''»

**CORDE. Il ne faut pas (faut pas, on ne doit jamais)
faire (acheter) la corde (parler de corde) avant
(d'avoir) le veau.** *Empressement.* Il ne faut pas brûler
les étapes. Sur le thème: Il ne faut pas mettre la charrue
devant les bœufs. «Lorsque le terme approchait, pas trop
tôt cependant, car selon le dicton: Faut pas faire la corde
avant l'veau, elle préparait le trousseau, mais seulement
le soir lorsque les enfants dormaient.» (Louis Morin, *Les*

étapes de la vie des paroissiens de Saint-François) ❖ Il ne faut pas acheter la corde avant d'avoir le veau (France).

On ne parle pas de corde dans la maison d'un pendu. *Savoir-vivre.* On n'évoque point un sujet désagréable à qqn en sa présence. D'après la coutume voulant que le condamné qui survivait à la pendaison était absous. ❖ Il ne faut point parler de corde dans la maison d'un (devant un) pendu (France).

Quand la corde est trop raide, elle casse. *Patience.* Une situation trop tendue éclate ou trop d'exigences risque de susciter l'échec. Pour dire que l'on a atteint la limite de ses forces, de sa patience. ❖ Par trop tendre la corde on la rompt (France).

CORDES. Il faut toujours avoir deux cordes à son arc. *Prévoyance.* Il faut posséder de nombreuses ressources. Autrement dit, il ne faut jamais se laisser prendre au dépourvu. «Bien que je sortais avec Monique, je n'avais pas abandonné Jacqueline: il faut toujours avoir deux cordes...» ❖ Avoir deux cordes à son arc (loc. prov., XIIIe); Il faut avoir plusieurs cordes à son arc; Un renard qui n'a qu'un trou est bientôt pris (France).

CORDONNIER. Faut être cordonnier pour être mal chaussé. *Manque.* Les premiers intéressés sont les plus mal servis. Voir: Ce sont toujours les *couturières* qui sont les plus mal habillées. ❖ Les cordonniers sont toujours les plus mal chaussés (XVIIe, France).

CORNES. Quand on parle des cornes, on voit la bête. *Arrivée/départ.* Se dit de l'arrivée de qqn au moment précis où l'on s'entretient à son sujet. ❖ Quand on parle du loup on en voit la queue (XVe, France).

CORNICHONS. Les cornichons ne sont pas tous dans les pots. *Sottise*. Il y a partout des sots. Accusation voilée. «Quelle remarque stupide; les cornichons…» ❖ Qui n'a pas de tête n'a que faire de bonnet (France).

COUCHÉ. On sera plus longtemps couché que debout. *Action*. La mort nous guette (c'est pourquoi il y a urgence à agir).

COUILLON. Quand on est né couillon, on couillonne. *Naturel*. On agit selon sa nature. Se dit souvent d'un comportement répréhensible. S'applique notamment à la paresse. «Le petit Giguère a encore commis un cambriolage? Quand on est né couillon…» ❖ Quiconque est loup agit en loup (La Fontaine, *Fables*); Mieux aime truie bren que rose (XVIIe); Qui naît de poule aime à gratter (France).

COUP. Quand on manque son coup une fois, on le manque trois fois. *Enchaînement*. La malchance persiste souvent. ❖ Jamais deux sans trois (France).

COUR. Chacun dans sa cour. *Individualité*. Chacun pour soi. Sur le thème: Chacun son métier et les vaches seront bien gardées. Voir: Nettoie le devant de ta *porte,* toute la rue sera propre. ❖ Chacun le sien, ce n'est pas trop (Molière, *Le malade imaginaire*, XVIIe); À chaque fou sa marotte (XVIIIe, France).

COURIR. Tout arrive plus vite à qui court après. *Acharnement*. L'acharnement favorise la réussite.

COUTURIÈRES. Ce sont toujours les couturières qui sont (toujours) les plus mal habillées. *Manque.* Les premiers intéressés sont les plus mal servis. Se dit notamment par les femmes, souvent au sens littéral. ❖ L'aiguille habille tout le monde mais demeure nue (France).

COUVERT. Chaque (il n'y a pas de) chaudron trouve (qui ne trouve pas) son couvert [couvercle] (son torchon, une cheville, un trou, sa chaudronne). *Réunion.* Chacun trouve le (la) partenaire qui lui convient. Parfois péjoratif. Se dit, par exemple, d'une personne peu attrayante, qui trouve quand même à se marier. Notamment d'un homme à la recherche d'une femme. ❖ À chaque pot son couvercle (XVIᵉ); Il n'y a si méchante marmite qui ne trouve son couvercle (XVIIᵉ, France).

CRACHER. Crache (qui crache, quand on crache) en l'air, tombe (ça lui retombe, ça retombe, ça nous tombe) sur le (bout du) nez. *Réaction.* La présomption se retourne contre son auteur. Éloge de la modération dans les propos. Se dit de conséquences méritées suite à des gestes ou des propos maladroits. «Ce petit menteur a la punition qu'il mérite: crache en l'air…» ❖ Du latin médiéval *(In expuentis recidit faciem, quod in caelum expuit)*: Qui crache au ciel, il lui retombe sur le visage; Qui crache en l'air reçoit le crachat sur soi (XVIᵉ, France).

CRAPAUD. On ne juge pas un crapaud à le voir sauter (à sa peau). *Aspect.* On ne juge pas qqn sur l'apparence. Se dit notamment d'une personne qui, malgré une apparence rébarbative, semble posséder de grandes qualités. «Faut pas juger trop vite, ma fille, ce jeune homme cache un grand cœur, on ne juge pas…» ❖ On ne connaît pas le vin au cercle (XVIᵉ, France).

CRAQUER. Tout ce qui craque ne casse pas. *Abandon.* Vaut mieux fléchir que d'abandonner. Se dit aussi en boutade d'un appareil ou d'un meuble qui grince. ❖ Mieux vaut ployer que rompre (XVIᵉ, La Fontaine, *Fables*).

CREUX. Heureux les creux (car) (le royaume des cieux est à eux). *Sottise.* Heureux les sots! Se dit pour railler la sottise d'autrui. Pendant amusant de la formule biblique: «Bienheureux les pauvres d'esprit car le royaume des cieux… (Matthieu, V, 3).» «Est-ce qu'on se dit comme d'autres: ''Heureux les creux?'' Ne vaut-il pas mieux être sans dessein, après tout?» (Jeanette Bertrand, à *Parler pour parler*, Radio-Québec, octobre 1988.)

CROÛTE. La croûte avant la mie. *Épreuve.* Les épreuves viennent avant la facilité. Se dit des étapes de la vie. La France connaît plutôt: «Après pain blanc, le bis ou la faim (XVIᵉ).» «Avant de s'enrichir, il est passé par toutes sortes de difficultés: la croûte…»

CRUCHE. Quand la cruche est pleine, elle renverse. *Patience.* La limite atteinte, on s'emporte. Se dit d'un état d'exaspération.

Tant va la cruche à l'eau qu'à la fin elle se brise. *Bien.* L'abus (des ressources, de la patience d'autrui) mène à la ruine. Se dit en France. ❖ Tant va le pot au puis que il quasse (XIIIᵉ); Tant va la cruche à l'eau qu'à la fin elle se casse (XVIIᵉ, France).

CUL-VENT. Pour vivre longtemps, il faut donner jour à son cul-vent. *Santé.* Se dit en boutade par qui lâche souvent des gaz. *Donner jour à son cul-vent*: péter.

CURÉ. Qui mange du curé en meurt. *Clergé.* Médire du clergé porte malheur. Se dit souvent par les membres du clergé.

Si vous mangez du curé, vous ne le digérerez pas. *Clergé.* Parler en mal du clergé porte malheur. Mise en garde.

DANGER. Qui s'expose au (qui aime le) danger (y) périra. *Risque.* Se dit notamment d'un péril moral. S'inspire d'un passage biblique (*Ecclésiaste,* XIII, 27). «Et, ajouta-t-il (le curé Flavel), en le menaçant du doigt: qui s'expose au danger y périra.» (Rodolphe Girard, *Marie Calumet*) ❖ Au bout du fossé la culbute (XIXᵉ, France).

DÉBÂCLE. Après l'hiver, il y a toujours une débâcle. *Bonheur.* Après le malheur, le bonheur. ❖ Après la pluie, le beau temps (France).

DÉBIT. Le débit fait le profit. *Commerce.* Le volume des ventes accroît le profit. Précepte économique. Se dit surtout dans le commerce.

DÉFAUT. Défaut reconnu est à moitié pardonné. *Défaut.* La reconnaissance d'un défaut est un pas vers l'amendement. ❖ Faute avouée est à moitié pardonnée (France).

DÉFIER. Il faut se défier de tout le monde. *Comportement.* On ne peut faire confiance à personne.

DEMANDER. Demandez et vous recevrez. *Aide.* Demandez et vous recevrez. Se dit indifféremment par qui dispense ou reçoit de l'aide. Parole de l'Évangile. Énoncé général. Par exemple, pour justifier la demande d'une faveur particulière: «Demandez et...»

DERNIER. Le dernier vaut mieux que le premier. *Premier/dernier.* S'inspirerait du passage biblique: «Les premiers seront les derniers et les derniers seront les premiers.» Le français de France connaît plutôt: «Il vaut mieux être le premier de sa race que le dernier.»

DESCENDANTS. On ne prie pas pour les descendants. *Aide.* On n'a pas à aider ceux qui n'ont pas besoin de notre aide. Dans les chantiers forestiers, le bobsleigh qui descendait une pente n'avait pas besoin d'être tiré, d'où le proverbe. «Pourquoi devrait-on venir en aide au propriétaire de cet atelier? On ne prie pas...»

DETTES. Qui (celui qui) paie ses dettes s'enrichit. *Argent.* Autrement dit, augmente son estime. Se dit souvent par qui rembourse ses dettes, ou par le créditeur, pour inciter un débiteur à s'acquitter de ses obligations. Se retrouve en France. «J'ai enfin terminé de payer l'emprunt sur la voiture; mais je vais dire comme on dit: qui paie ses dettes...» ❖ Qui paie sa dette fait grand acquêt (XVIᵉ, France).

Qui paie mes dettes m'enrichit. *Argent.* Boutade amusante inspirée de: Qui paie ses dettes s'enrichit. Antonyme de: Qui paie ses dettes s'enrichit.

DEUX. (Jamais un sans deux) jamais deux sans trois. *Enchaînement.* Se dit d'une suite d'événements fortuits, notamment malheureux; ainsi, de deux morts, suivis d'une troisième. Voir: Jamais un, rarement deux, toujours *trois*. «Tu viens de gagner deux fois à la loterie? Tu sais ce qu'on dit: Jamais deux…» ❖ Jamais deux sans trois; Un malheur ne vient jamais seul (France).

DIABLE. En parlant (quand on parle) du diable, on lui voit les cornes (il nous apparaît). *Arrivée/départ.* Se dit de l'arrivée de qqn au moment précis où l'on s'entretient à son sujet. ❖ Quand on parle du loup on en voit la queue (XVe, France).

Farine (la farine) de (du, l'argent du) diable (re)tourne (vire) en son. *Malhonnêteté.* Le bien mal acquis est vite dilapidé. ❖ Bien mal acquis ne profite jamais; De diable vient, à diable ira (France).

Faut baiser le cul du diable quand il est frette [froid]. *Occasion.* Il faut agir au moment opportun. ❖ Il faut tourner le moulin lorsque souffle le vent (France).

Faut pas tenter le diable. *Mal.* Il ne faut pas s'exposer à la tentation. ❖ À manger avec le diable, la fourchette n'est jamais trop longue (France).

Il faut parler du diable pour lui voir la queue. *Arrivée/départ.* Quand on parle de qqn, il apparaît; quand on parle de qqch., on en a des échos peu après. ❖ Quand on parle du loup on en voit la queue (XVe, France).

Les ruses du diable sont coudues [cousues]. *Malhonnêteté.* La malhonnêteté ou la fourberie est vite démasquée.

Plus le diable en a, plus il veut en avoir. *Ambition.* Plus on possède, plus on désire. Se dit de l'appétit insatiable de gain, et particulièrement d'argent. ❖ Plus a le diable, plus veut avoir (XIIIᵉ, France).

Que le Bon Dieu le bénisse, que le diable le charisse [charrie]. *Rejet.* Qu'il aille au diable! Se dit d'une personne que l'on rejette. ❖ Dieu est au prendre et le diable au rendre (France).

DIEU. Dieu châtie ceux qu'il aime. *Épreuve.* Ce sont les meilleures personnes qui subissent les pires épreuves. Se dit pour consoler celui qui traverse des épreuves.

Dieu frappe d'une main et récompense de l'autre. *Justice.* Le bonheur et le malheur arrivent indifféremment. Se dit pour expliquer un événement quelconque. Parole de l'Évangile.

L'homme (on) propose (et) Dieu dispose. *Sort.* Le destin de l'homme est entre les mains de Dieu. Pour dire que le cours des événements dicte souvent notre conduite. Se dit notamment par celui qui est forcé par les événements d'agir d'une façon quelconque. Se retrouve en France.

DIMANCHE. Ce n'est pas tous les jours dimanche. *Joie.* Les réjouissances ou la réussite ne durent pas toujours. ❖ Il n'est pas toujours fête (France).

DIRE. Celui qui le dit, c'est lui qui l'est. *Culpabilité.* Réplique à un sobriquet ou à une parole blessante. ❖ Qui se sent galeux se gratte (XVIIᵉ, France).

DOIGTS. Il ne faut pas mettre les doigts entre l'écorce et l'arbre. *Soi/autrui.* Mieux vaut ne pas s'immiscer dans une affaire délicate. Se dit notamment d'une querelle étrangère. ❖ Ne mettez pas votre doigt entre l'écorce et l'arbre (Molière, *Le médecin malgré lui* (XVIIe); Il ne faut pas mettre le doigt entre l'arbre et l'écorce (XIXe, France).

DOMPTÉ. Tel que t'es dompté, tel que tu (y) restes. *Éducation.* L'éducation reçue détermine le comportement dans la vie adulte. Se dit notamment pour expliquer un comportement répréhensible. «Nous autres on a été domptés, comprends-tu, à travailler... le fouette sous le ventre... tel que t'es dompté, tel que tu restes, hein!» [Voir ci-dessous.] ❖ Ce qui s'apprend au maillot, on s'en souvient jusqu'à la tombe (Auvergne, France).

DONNER. Donner tout de suite, c'est donner deux fois. *Don.* Donner d'emblée témoigne d'un grand sens de la charité. Formule d'origine latine. Se dit par qui veut inciter autrui à la charité. ❖ Qui tôt donne deux fois donne (France).

On aime mieux donner que recevoir. *Don.* S'emploie au sens littéral.

On donne rien que ce qu'on a. *Don.* On ne peut donner plus que ce que l'on possède. Se dit notamment à propos d'argent, à qui exige trop de soi.

DORMEUR. Bon dîneur mauvais dormeur. *Nourriture.* Qui mange beaucoup a un sommeil agité. Se dit au sens littéral. «Après le dîner des noces, l'oncle Nazaire n'a pas pu fermer l'œil de la nuit; bon dîneur...»

EAU. Il faut mettre de l'eau dans son (notre) vin. *Comportement.* Il faut accepter le compromis. ❖ Mettre de l'eau dans son vin (loc. prov., France).

L'eau qui va à la rivière. *Bien.* Se dit de l'inutile, du superflu. ❖ Porter de l'eau à la rivière (loc. prov., France).

Quand une rivière grossit, son eau se salit. *Fortune.* La fortune s'accroissant, l'honnêteté diminue d'autant. «Ce dicton s'applique surtout aux commerçants qui acquièrent trop vite la fortune, ce qui est toujours suspect aux yeux des habitants.» (Madeleine Ferron et Robert Cliche, *Quand le peuple fait la loi*) ❖ Nul or sans écume (XVIe, France).

ÉCRITS. Les paroles s'envolent mais les écrits restent. *Parole.* La parole s'oublie mais l'écrit demeure. Mise en garde. Pour dire de ne rédiger ou signer un document qu'avec circonspection. Se dit souvent lors de la rédaction d'actes officiels. Se dit en France. «Si tu signes ce papier, tu risques gros: les paroles s'envolent…»

ÉGLISE. Près de l'église, loin de Dieu. *Religion.* Qui côtoie l'église ou le clergé est mauvais pratiquant. Condamnation à la fois des mœurs du clergé et du mauvais fidèle. ❖ Qui est près de l'église est souvent loin de Dieu (XVᵉ); Près de l'église, loin de la dévotion (Auvergne, France).

Qui donne à l'Église donne à Dieu. *Clergé.* Qui donne au clergé se mérite les bienfaits du Très-Haut. Se dit pour inciter les fidèles à soutenir financièrement la paroisse, par exemple, dans la quête, la dîme, etc. Adaptation vraisemblable par le clergé de la formule de l'Évangile (*Proverbes*, XIX, 17): Qui donne au pauvre prête à Dieu.

ÉLECTION. On ne fait pas d'élection avec des prières. *Moyen.* Trop de probité ne profite guère. Autrement dit, pour atteindre ses fins, on est en droit d'employer même des moyens malhonnêtes. Se dit notamment des méthodes utilisées par les organisateurs électoraux. Variante populaire de: La fin justifie les moyens (France).

ÉLUS. Beaucoup sont appelés, peu sont élus. *Nombre.* Parole de l'Évangile.

EMBRASSER. Qui trop embrasse mal étreint. *Ambition.* Le désir excessif entrave la satisfaction. Se dit, par exemple, à propos d'un amour qui aboutit à la jalousie dans un couple. Issu du latin (*Liber consolationis et consilii,* XIIIᵉ), l'énoncé se retrouve, entre autres, chez Charles d'Orléans. Se dit en France. ❖ Qui trop embrasse peu estraind (XIVᵉ, France).

EMPRUNT. Où commence l'emprunt finit l'amitié. *Argent.* Prêter de l'argent à quelqu'un brise l'amitié. Se dit notamment par qui hésite à octroyer un prêt. S'emploie dans le monde des affaires. «Impossible de te prêter ce montant; où commence l'emprunt…» ❖ Ami au prêter, ennemi au rendre (XVIIIᵉ, France).

ENFANTS. Dieu est parti, les enfants s'amusent. *Autorité*. L'autorité absente, on s'en donne à cœur joie. Se dit notamment à propos d'une période de mauvais temps qui se prolonge. ❖ Quand le chat n'y est pas, les souris dansent (France).

ENSEIGNE. Petite enseigne (annonce), gros magasin. *Aspect*. L'apparence est trompeuse. Se dit d'une personne dont l'apparence fruste ou peu engageante cache une grande bonté ou une grande valeur. Voir: Grosse *annonce*, petit magasin. ❖ Sous la crasse la beauté s'y cache (France).

ENTENTE. La meilleure entente vaut mieux qu'un (que le meilleur) procès. *Justice*. Toute entente à l'amiable vaut mieux qu'un recours en justice. Autrement dit, il vaut mieux tout tenter que de recourir aux tribunaux, qui ont fort mauvaise réputation. ❖ Un méchant accommodement vaut mieux qu'un bon procès (France).

ENVIE. Vaut mieux faire envie que faire pitié. *Envie*. ❖ Il vaut mieux faire envie que pitié (XVIIIᵉ); Mieux vaut être envié qu'apitoyé (XVIᵉ, France).

ÉPELURES. On ne se torche pas avec des épelures [épluchures] **de bananes (d'oignons).** *Économie*. On ne doit pas faire de fausses économies.

ÉPINES. Il n'y a pas de rose sans épines. *Plaisir.* Il n'y a pas de plaisir sans peine. ❖ Nulle rose sans épines (XVIe, France).

ÉPINGLE. On n'entre pas au ciel avec l'épingle d'un autre. *Mérite.* Le bien vient de son mérite et non de celui des autres.

ERREUR. Erreur n'est pas compte. *Faute.* L'erreur peut être amendée. Se dit pour excuser une erreur quelconque. Se retrouve en France.

L'erreur est humaine. *Faute.* L'erreur est excusable. Se dit par qui commet une faute ou est victime de l'erreur d'autrui. Pour excuser une faute quelconque. «Même s'il a fait de la prison, on peut lui donner une chance; après tout, l'erreur...» ❖ Ce n'est pas pour un mauvais pas qu'on tue un bœuf (Savoie, France).

ESPRIT. L'esprit qu'on veut gâte celui qu'on a. *Aspect.* L'image favorable que l'on veut présenter laisse parfois une mauvaise impression. ❖ Qui est âne et veut être cerf se connaît au saut du fossé (XIXe, France).

ESSAYER. Qui n'essaie rien n'a rien. *Risque.* Éloge de l'action. ❖ Qui ne risque rien n'a rien (France).

ÉTUDIER. Étudier vaut mieux qu'ignorer. *Connaissance.* La connaissance l'emporte sur l'ignorance. Se dit notamment par qui étudie.

EXCEPTION. L'exception confirme la règle. *Nombre.* Énoncé général.

EXPÉRIENCE. Expérience passe science. *Expérience.*
L'expérience prévaut sur la connaissance. Pour dire que
quelqu'un d'expérience a une plus grande importance que
quelqu'un d'instruit. Apologie de la connaissance empirique. ❖ Expérience est mère de science (France).

F

FAIM. La faim fait sortir le loup du bois. *Obligation.*
Nécessité oblige. Proverbe général. Se dit notamment de
profiteurs de toutes sortes qui se dévoilent en période difficile. ❖ Nécessité faict gens mesprendre/ E faim sillir
le loup des bois (Moncorbier *alias* François Villon, XVe,
France).

FAIRE. Bien faire vaut mieux que bien dire. *Action.*
L'action l'emporte sur la parole. Sur le thème: Grand par-
leur, petit faiseur. ❖ Bien dire vaut moult, bien faire
passe tout (XVIe); Il est plus facile de dire que de faire
(XVIe); Bien dire fait rire, bien faire fait taire (XIXe,
France).

**FAMILLE. Petite cuisine (petite maison), grosse
famille.** *Fortune.* Ce sont les familles les moins fortunées
qui sont les plus nombreuses. Pour expliquer un état de
fait. ❖ Cuisine étroite fait bâtir grande maison (XVIe,
France).

FAUTE. Faute avouée est à moitié pardonnée. *Faute.*
Avouer sa faute en minimise l'importance. Se dit par qui

accorde le pardon, pour indiquer que l'on pardonne plus facilement à qui avoue carrément son erreur. Énoncé général.

FEMME. La (faut être la, il n'y a rien comme d'être la) femme du cordonnier est toujours (pour être) mal chaussée. *Manque.* Les premiers intéressés sont les plus mal servis. Se dit notamment de l'époux s'occupant davantage d'autrui que de sa famille. Voir: Ce sont toujours les *couturières* qui sont les plus mal habillées. ❖ Les cordonniers sont les plus mal chaussés (France).

C'est la bonne femme qui fait le bon mari. *Mariage.* ❖ Femme bonne vaut couronne (France).

Ce que femme veut, Dieu le veut. *Femme.* Nul ne peut s'opposer aux désirs de la femme. Voir: *Parole* de femme, parole de Dieu. Se dit en France.

Cheminée qui boucane, femme qui chicane, le diable dans la cabane. *Mariage.* Femme en colère sème le trouble autour d'elle. ❖ Fumée, pluie et femme sans raison chassent l'homme de sa maison (XVIᵉ, France).

L'homme propose et la femme se repose. *Mariage.* Adaptation amusante de: L'homme propose, Dieu dispose. Se dit notamment par les femmes. Voir: L'homme propose et la *femme* dispose.

L'homme propose, la femme dispose. *Mariage.* L'homme suggère, la femme dirige. Adaptation amusante de: L'homme propose et Dieu dispose. Voir: L'homme propose et la femme se repose.

Parole de femme, parole de Dieu. *Femme.* L'opiniâtreté de la femme lui fait atteindre ses fins. ❖ Ce que femme veut, Dieu le veut (XIXᵉ, France).

Qui prend femme prend paroisse. *Mariage.* Celui qui se marie doit fonder un foyer ou s'établir dans la paroisse de l'épouse. Se dit par les hommes. Pendant masculin de: Qui prend mari prend pays.

FER. Il faut battre le fer quand il (tandis qu'il) est chaud. *Action.* Il faut agir au moment opportun. Incitation à agir au moment propice. L'énoncé est dans Plaute (*Le Carthaginois,* et on le retrouve chez Antoine de La Sale (*Les cent nouvelles nouvelles,* XVᵉ, France). ❖ Endementres que li fers est chauz le doit len batre (ancien); Len batre le fer tandis cum il est chauz (ancien, France).

FERS. Il ne faut pas mettre trop de fers au feu. *Action.* Il ne faut pas multiplier les entreprises. Autrement dit, multiplier à l'excès les entreprises aboutit à l'échec. ❖ Mettre les fers au feu (loc. prov., France).

FESSES. C'est trop tard pour serrer les fesses quand on a fait au lit. *Regret.* On ne doit pas déplorer un malheur dont on est la cause. ❖ Plus le temps de fermer l'écurie quand le cheval en est sorti (France).

FÊTE. Ce n'est pas tous les jours fête. *Joie.* Il y a des jours difficiles. Incitation notamment au travail. ❖ Il n'y a pas de bonne fête sans lendemain (France).

FEU. C'est pas parce qu'il y a (quand il y a) de la neige sur la couverture (ça ne veut pas dire) qu'il n'y a plus de feu dans le poêle. *Âge*. L'âge ne diminue guère l'ardeur amoureuse. Boutade employée notamment par la personne âgée qui a les cheveux blancs. Parfois, allusion voilée à l'ardeur sexuelle. Le français de France connaît au contraire: «Quand la neige est sur la montagne, le bas est bien froid.»

Il n'y a pas de fumée sans feu. *Cause*. Point d'indice sans cause. Se dit de quelque chose d'équivoque. Énoncé général. ❖ Feu ne fut oncques sans fumée (ancien, France).

Il ne faut pas allumer le feu avant d'avoir un client. *Empressement*. Mieux vaut n'agir que quand on est assuré du résultat. Formule employée notamment par les forgerons, en parlant du feu de forge. Condamnation de l'action précipitée.

Quand le feu prend à la maison, les souris sortent. *Malheur*. Dans le malheur se découvrent les profiteurs. Se dit notamment par qui souffre de l'ostracisme d'autrui à la suite d'un malheur quelconque. ❖ Au besoin connaît-on l'ami (France).

Une maison sans feu est comme un corps sans âme. *Amour*. Un foyer sans amour est un foyer mort. Aussi, feu: femme. ❖ Maison sans flamme, corps sans âme (XVIᵉ, France).

FEU DE PAILLE. Grand feu de paille n'a rien qui vaille. *Empressement*. Il faut se méfier de l'emportement subit. ❖ Il n'est feu que de gros bois (France).

FILLE. Temps pommelé, fille fardée, sont de courte durée. *Beauté.* La coquetterie, tout comme le temps nuageux, ne dure guère. ❖ Ciel pommelé et femme fardée ne sont pas de longue durée (France).

FILLES. Quand les filles sont mariées, on trouve des marieux. *Passé.* L'affaire conclue, les proposeurs affluent. ❖ Quand ma fille est mariée, tout le monde la demande (XVIIᵉ); Quand notre fille est mariée, nous trouvons trop de gendres (XVIIIᵉ, France).

Vaut mieux avoir dix filles que dix mille. *Famille.* Mieux vaut avoir peu de filles (dans une famille). L'antonyme dit pourtant: Vaut mieux avoir dix mille que dix filles. ❖ Une fille peu de filles, deux filles assez de filles, trois filles trop de filles, quatre filles et la mère: cinq diables contre le père (Auvergne, France).

FILS. À père avare, fils prodigue. *Famille.* Le fils agit souvent à l'opposé du père. Éloge d'un fils plus charitable que son père. «Malgré le mauvais exemple du père, l'enfant a quand même été charitable envers ce pauvre quêteux; à père avare...» ❖ À père avare enfant prodigue (France).

FIN. Qui veut la fin veut les moyens. *Moyen.* Tous les moyens sont bons pour arriver à ses fins. Aucun scrupule ne peut arrêter celui qui désire atteindre un but. «Chantage, menace, rien ne l'arrête: qui veut la fin...» ❖ La fin justifie les moyens (France).

Telle vie, telle fin (telle mort). *Naturel.* Le naturel ne change pas. Se dit notamment dans le clergé. Péjoratif.

Ainsi, celui qui a mené une vie dissolue aura la fin qu'il mérite. ❖ **Quand tu es né rond, tu ne meurs pas pointu** (Martinique).

FINS. Le nom des fous est écrit partout, le nom des fins est écrit sans fin. *Sagesse.* La sottise s'exprime partout, de la même manière que la sagesse.

FLEURS. Il paraît qu'il y a des fleurs qui poussent sur un (sur les) tas de fumier. *Beauté.* L'admirable peut surgir du sordide. Se dit, par exemple, d'un acte de bonté posé par un méchant ou d'une bonne personne issue d'un mauvais milieu.

FLOT. Qui vient de flot s'en va de marée. *Arrivée/départ.* Qui arrive trop soudainement ou facilement se dissipe aussitôt. *Flot*: marée montante. S'emploie littéralement. ❖ **Ce qui vient de fric s'en va de frac; Ce qui vient de flûte s'en retourne au tambour** (France).

FOIS. Une fois n'est pas coutume. *Habitude.* Se dit, par exemple, à propos d'un enfant à qui on accorde une faveur exceptionnelle. Énoncé général.

FORCE. Contre la force, pas de résistance. *Force.* Contre la contrainte on ne peut lutter. Se dit par celui qui subit la contrainte. ❖ **Force passe droit** (XVIᵉ, France).

FORGERON. En (c'est en) forgeant, on (qu'on) devient forgeron. *Expérience.* L'habileté ou l'expérience s'acquiert par la pratique. Se dit souvent par celui qui a de l'expérience. Se dit en France. «Tu ne sais pas travailler, mon jeune, c'est en forgeant...» ❖ **En forgeant**

devient-on febure (XVe); C'est en forgeant qu'on devient forgeron (France).

FORT. Le plus fort aura toujours le meilleur. *Force.* La raison du plus fort prévaut toujours. ❖ La raison du plus fort est toujours la meilleure (La Fontaine, *Fables,* France).

FOURCHETTE. La fourchette (la table) tue plus de monde que l'épée. *Nourriture.* La gourmandise est plus néfaste que la guerre. Mise en garde contre les plaisirs de la table. ❖ Gourmandise tue plus de gens qu'épée en guerre tranchant (Henri Estienne, XVIe, France).

FOUS. Il y a plus de fous en liberté qu'enfermés. *Sottise.*

Les fous ne sont pas tous dans les asiles. *Sottise.* Les sots sont partout. Se dit à l'adresse d'un sot. Accusation à peine voilée.

Plus on est (il y a) de fous, plus on a (il y a) de *fun* [*angl.* plaisir] **(plus on s'amuse).** *Nombre.* Plus on est nombreux, plus on s'amuse. ❖ Plus on est de fous, plus on rit (XVIIIe, France).

FRAISES. On ne peut pas manger des fraises à l'année. *Plaisir.* On ne peut toujours vivre dans l'abondance et la facilité. Ce n'est pas tous les jours *dimanche.*

FRÈRE. Faut battre son frère tandis qu'il est chaud. *Occasion.* Il faut agir au moment opportun. Boutade familière. Déformation amusante de: Il faut battre le fer quand

il est chaud. ❖ Il faut battre le fer tandis qu'il est chaud
(France).

FRICOT. Fricot chez nous, pas d'école demain. *Nour-*
riture. Il y a congé le lendemain d'un festin. «On pouvait
parfois danser et aller aux fricots — espèces de festins.
Si une famille donnait un fricot, tous les invités étaient
tenus à la réciprocité d'une pareille fête. Celles-ci étaient
bien amusantes, quelles tables abondamment servies! Tous
les mets qu'on devait servir au cours du repas se trou-
vaient sur la table dès le début; qu'une place fût vide sur
la nappe, on avait de petites assiettes pour remplir les
interstices. Quelle mangeaille et quelle beuverie abon-
dante! Très peu de vin, mais beaucoup de bon rhum!» (A.
D. DeCelles, «Le passé et le présent», *Almanach Rolland,*
Montréal, 1924.)

FROTTER. Qui s'y frotte s'y pique. *Risque.* Celui qui
s'expose risque la punition. Devise de Louis XII. Se dit
en France.

G

GAGNER. Qui gagne perd. *Premier/dernier.* Le français de France connaît plutôt: «Qui ne gagne perd.»

GALETTE. Faute de pain, on mange (de) la galette. *Essentiel.* Faute de superflu, on se contente de l'essentiel. Autrement dit, vaut mieux se satisfaire de ce que l'on a. «Pas d'essence pour la voiture? Eh bien, je devrai me contenter de la bicyclette; faute de pain...» ❖ Faute de bœuf, on laboure avec son âne (Auvergne); À faute de chapon, pain et oignon; Faute de grives, on mange des merles (France).

GÂTEAU. On ne peut pas avoir un gâteau et le manger en même temps. *Ambition.* On ne peut tout avoir. L'anglais dit précisément: *"You cannot have your cake and eat (have) it."* Voir: On ne peut pas faire les *hot dogs* et servir les clients. ❖ On ne peut pas avoir le lard et le cochon (Bourbonnais); On ne peut pas sonner et aller à la procession; Vous ne pouvez pas manger votre gâteau et le garder (France).

GÊNE. Où il y a de la gêne [timidité]**, il n'y a pas de plaisir.** *Timidité.* La timidité empêche d'apprécier les bons moments. Se dit par l'audacieux ou l'effronté, mais aussi d'un audacieux ou d'un effronté. Se dit en France. ❖ Jamais honteux n'eut belle amie (France).

GENRES. Il en faut (il y en a) de (pour) tous les genres. *Caractère.* Tous les caractères se rencontrent. Se dit d'un comportement ou d'une apparence étrange ou marginal. Pour indiquer que la marginalité ne peut être évitée. «Regarde-moi donc cet accoutrement de punk; c'est bien pour dire, il en faut...»

GOÛTS. Il y en a (en faut) pour tous les goûts. *Besoin.* Chacun trouve ce qui lui convient. Énoncé parfois dépréciatif. «Elle préfère les bossus, elle! Que veux-tu, il en faut...»

Les goûts ne sont pas à discuter. *Choix.* Les opinions ou les préférences ne peuvent être contestées. Pour dire qu'il n'y a pas lieu de s'immiscer dans les affaires d'autrui. Se dit notamment à qui exprime une opinion divergente. ❖ Des goûts et des couleurs, on ne discute pas (France).

Tous les goûts sont dans la nature. *Choix.* Tous les choix se valent. Les préférences ne sont guère discutables. Pour qualifier un choix peu orthodoxe. «Tu aimes ça souffrir? Eh bien, que veux-tu, tous les goûts...»

GRAISSE. Sauve la graisse, les cortons [cretons] **brûlent.** *Essentiel.* Dans une situation périlleuse, il faut sauvegarder l'essentiel.

GRATTER. Plus on gratte, plus ça démange. *Mal.* Plus on approfondit un sujet douloureux, plus la souffrance se

fait cuisante. Dans le sens de: il ne faut pas trop chercher. Le français de France dit, dans un tout autre sens:
«Il faut gratter les gens où il leur démange» (XVIIIe).

GUENILLE. Toute guenille trouve son torchon. *Réunion.* Toute femme (de rien) trouve l'homme qui lui convient. Peut être péjoratif. ❖ Un torchon trouve toujours
sa guenille (France).

**GUENILLES. Faut pas mélanger les guenilles et les
torchons (les torchons et les serviettes).** *Hiérarchie.* Il
ne faut pas confondre les rôles ou les statuts. Se dit notamment des femmes par rapport aux hommes. En France,
toutefois, l'énoncé se rapporte principalement au statut
social. ❖ Il ne faut pas mêler les torchons et les serviettes (France).

GUERRE. À la guerre comme à la guerre. *Obligation.*
Nécessité oblige. Se dit pour écarter les dernières hésita-
tions. Se dit d'une conjoncture qui oblige à agir d'une
façon quelconque. Ainsi, n'ayant pas les outils nécessai-
res à une tâche, on se débrouillera avec ceux que l'on a
sous la main: à la guerre... Se dit (XVIIIe) en France.
«On ne peut faire autrement; à la guerre...» ❖ Nécessité n'a point de loi (XIXe); Advienne que pourra
(France).

On ne va pas à la guerre sans qu'il en coûte. *Querelle.*
Qui sème la discorde en subit les conséquences. ❖ Il ne
doit pas aller à la guerre qui craint les horions (France).

HABIT. Ce n'est pas l'habit qui fait le moine. *Aspect.*
L'apparence est trompeuse. Se dit notamment de
quelqu'un dont l'apparence peut tromper le jugement. ❖ L'habit ne fait pas le moine (France).

On ne juge pas l'oiseau à son habit (plumage). *Aspect.*
L'apparence est trompeuse. Pour dire qu'il vaut mieux
ne pas fonder son jugement sur les seules apparences.
S'applique souvent à quelqu'un qui ne paye pas de mine.
Le français de France connaît plutôt: La belle plume fait
le bel oiseau. «Tu vois comme on peut se tromper, ce quêteux a déjà été colonel d'armée, on ne juge pas l'oiseau
à son habit.» ❖ L'habit ne fait pas le moine (France).

**HABITUDES. Il est si vrai qu'à tout on s'habitue que
celui qui change ses habitudes se tue.** *Habitude.* On ne
peut changer ses habitudes de vie. ❖ Coutume dure vaut
nature (XVIᵉ, France).

HANTER. Dis-moi qui tu hantes [fréquentes]**, je te
dirai qui tu es.** *Soi/autrui.* Les fréquentations dévoilent
la nature de la personne. Souvent péjoratif. Se dit notam-

ment de qui se complaît à des fréquentations douteuses.
Se dit en France. «Je sais depuis longtemps que c'est de
la graine de bandit, ce gars; avec les amis qu'il a, aussi!
Dis-moi qui tu hantes…»

**HERBE. L'herbe est toujours meilleure dans le dos
du voisin.** *Envie.* Le bien d'autrui est plus attrayant que
le sien. ❖ Moisson d'autrui plus belle que la sienne
(XVIIᵉ, France).

HÉROS. Un héros aujourd'hui, un vaurien demain.
Réputation. La réputation ou le statut social est chose pré-
caire. Se dit notamment dans le sport. ❖ Un homme
aujourd'hui vaut mieux qu'un vaurien demain (France).

**HEURE. Avant l'heure c'est pas l'heure, après l'heure
c'est plus l'heure.** *Temps.* Il importe d'être ponc-
tuel. ❖ Ce n'est pas tout de se lever le matin, il faut
encore arriver à l'heure (France).

HOMICI'. Celui qui se mettra homici' [qui se suicide]
périra. *Mort.* Le suicide mène à la perdition. Précepte
moral.

HOMME. Où il y a de l'homme, il y a de l'hommerie.
Homme. Où l'homme évolue, il y a ruse et fourberie. Se
dit notamment par les femmes. ❖ Du latin *Homo homini
lupus*: L'homme est un loup à l'homme (France).

Un homme sans femme ne tient pas l'hiver. *Femme.*
L'homme sans femme ne peut vivre longtemps. «À l'époque (du XIXᵉ siècle jusqu'à la Dernière Guerre

mondiale), on avait l'habitude de dire: ''Un homme…''»
(«Plus», *La Presse,* février 1985.) ❖ L'homme qui est
seul est fol (XVIe, France).

**HOMMES. Deux montagnes ne se rencontrent pas
(mais deux hommes se rencontrent).** *Querelle.* Le
hasard donne lieu aux rencontres les plus inattendues. Se
dit souvent, au Québec, de rencontres indésirables,
d'affrontements. «Je t'avertis, si tu continues à me chercher, tu vas me trouver. Deux montagnes ne se rencontrent pas mais deux hommes se rencontrent.» ❖ Les
hommes se rencontrent et les montagnes non (XVIe,
France).

HONNÊTETÉ. L'honnêteté ne fait pas manger. *Honnêteté.* L'honnêteté ne profite guère au nécessiteux.

HONNEUR. À tout seigneur tout honneur. *Hiérarchie.*
La préséance revient au plus méritant. Se dit pour souligner une hiérarchie de fait. Se retrouve en France. «Allez,
monsieur le curé, passez devant, à tout seigneur tout honneur.» ❖ À tous seigneurs tous honneurs (XIIIe, France).

On ne va pas chercher son honneur en cour. *Justice.*
Le recours à la justice ne rétablit pas une réputation (perdue). La justice ne peut rétablir l'honneur bafoué.

HONNEURS. Qui veut les honneurs les paye. *Travail.*
Qui vise la réussite fait les efforts requis.

**HOT DOGS. On ne peut pas faire les hot dogs et ser-
vir les clients.** *Travail.* On ne peut accomplir deux tâches
en même temps. Se dit par celui qui se sent pressé par la

multiplicité des tâches à accomplir. Mise en garde. ❖ On ne peut à la fois courir et sonner du cor (XIIIe, France).

I

IDÉE. Il n'y a que les fous qui ne changent pas d'idée.
Jugement. Formule de justification pour celui qui change
d'idée ou d'opinion. «Cette année, je vote pour le parti
d'opposition; il n'y a que les fous…»

**IGNORANCE. L'ignorance, c'est comme la science,
ça n'a pas de bornes.** *Connaissance.* L'ignorance ou la
sottise est incommensurable. Pour traiter indirectement
quelqu'un d'ignorant. «Tu te trompes royalement, mais
comme on dit, l'ignorance…» ❖ Ignorance ne recherche
point prudence (France).

JEU. Heureux au jeu, malheureux en amour. *Amour.*
Se dit notamment du jeu de cartes. N'entend-on pas d'ailleurs: Chanceux comme un cocu? ❖ Heureux en jeu,
malheureux en femme (France).

**JEUNESSE. La jeunesse pour construire, la vieillesse
pour mourir.** *Âge.* À chaque âge correspondent des intérêts. Pour dire qu'il importe de s'adonner aux activités
correspondant à son âge. «Tu veux que je me lance dans
le commerce à quatre-vingt-trois ans? Tu n'y penses pas!
La jeunesse...» ❖ Le vieil meurt le jeune oublie (France).

Si jeunesse savait, si vieillesse pouvait. *Âge.* L'expérience et la capacité d'accomplissement ne se rencontrent
guère. Dit notamment par les gens âgés qui se désolent
de leur impuissance. Se retrouve en France. «Tu fais là
une grosse erreur, mon jeune; ah! Si jeunesse
savait...» ❖ Si jeunesse sçavoit, si vieillesse pouvoit
(XVIᵉ, France).

JOUER. C'est en jouant que les chiens mordent. *Jeu.*
Le jeu mène aux querelles. Se dit notamment des jeux
d'enfants.

JOURS. Il y a plus [de] **jours que de semaines.** *Temps.*
Rien ne presse. Pour signifier que l'on a tout le temps
pour accomplir une tâche. «J'accomplirai ce travail
demain, après tout, il y a plus de jours...»

Les jours se suivent mais ne se ressemblent pas. *Temps.*
Pour dire que demain sera différent d'aujourd'hui. Sur
le thème: À chaque jour suffit sa peine. Énoncé général. ❖ Les jours se suivent et ne se ressemblent pas
(France).

JUGE. On n'est pas juge dans sa propre cause. *Jugement.* On est mauvais juge de son propre comportement.
Normatif. Pour dire que l'on ne peut juger soi-même de
sa conduite. «Tu veux me convaincre de ta bonne foi, mais
sache, mon p'tit gars, qu'on n'est pas juge...» ❖ On ne
peut être à la fois juge et partie (France).

JUIFS. Où il y a de l'argent, les Juifs y sont. *Argent.*
Jugement ethnique. Pour dire que là où il y a du profit
à réaliser, on est assuré d'y rencontrer un Juif.

LÂCHER. Faut pas lâcher. *Persévérance.* Il faut persévérer.

LANGUE. Avec une langue, on peut aller à Rome. *Parole.* Les beaux parleurs ont beau jeu. On dit par contre: Grand parleur, petit faiseur. ❖ Quand langue a, à Rome va (XVIᵉ); Qui a une langue va à Rome (France).

Il faut se rouler (tourner) la (tourne ta) langue trois (sept) fois (dans la bouche) avant de parler. *Réflexion.* Mieux vaut réfléchir longuement avant d'émettre une opinion. ❖ Il faut tourner sept fois sa langue dans sa bouche avant de parler (France).

LARRON. C'est l'occasion qui fait le larron. *Occasion.* La malhonnêteté n'attend que l'occasion pour se manifester. Invitation à la prudence. Se dit en France. «Barre bien la porte de la maison: c'est l'occasion…» ❖ L'occasion fait le larron (XVIIIᵉ, France).

LENDEMAIN. Il ne faut pas remettre au lendemain ce qu'on peut faire le jour même. *Aujourd'hui/demain.*

❖ Ne remets pas au lendemain ce que tu peux faire le jour même; Ce que tu peux faire au matin, n'attends vêpres le lendemain (XVᵉ, France).

LENTEMENT. Qui va lentement va sûrement. *Action.* L'action mesurée assure la réussite. ❖ Tout ce qui doit durer est lent à croître (XIXᵉ); Qui trop se hâte en cheminant, en beau chemin se fourvoie souvent (France).

LIÈVRES. Faut jamais courir deux lièvres à la fois. *Ambition.* Il ne faut pas se lancer dans plusieurs entreprises en même temps. ❖ Il ne faut pas courir deux lièvres à la fois (XIXᵉ, France).

Vouloir tuer (courir) deux lièvres à la fois, tu les perds (on les manque) tous les deux. *Ambition.* L'ambition excessive aboutit souvent à l'échec. Mise en garde contre l'avidité excessive. Se dit notamment des entreprises amoureuses.

LINGE SALE. Mieux vaut (il faut, faut) laver son linge sale en famille. *Soi/autrui.* Vaut mieux régler les différends entre gens concernés. Normatif. Se dit par qui ne désire pas voir s'ébruiter une mésentente. La locution française (ci-dessous) est attribuée à Napoléon. Se retrouve en France. ❖ Laver son linge sale en famille (loc. prov., France).

LIRE. Pour apprendre à lire, il faut aller à l'école. *Connaissance.* La connaissance ne s'acquiert qu'auprès des gens d'expérience. Incitation à s'adresser à ceux qui s'y connaissent vraiment. «Tu fais tout de travers, mon jeune; pour apprendre à lire...» ❖ En conseil écoute le vieil (France).

LIT. Tel (on se couche comme) on fait son lit, tel on se couche. *Naturel.* Le naturel ne change pas. Se dit souvent d'une conduite répréhensible. ❖ Qui mal fait son lit mal couche et gist (XVIᵉ); Comme on fait son lit on se couche (France).

LOI. La loi, c'est la loi. *Justice.* La loi est intransigeante et sans pitié. Dit souvent par celui qui profite de l'application de la loi. Ainsi, Séraphin Poudrier, protagoniste du roman de Claude-Henri Grignon, *Un homme et son péché,* emploie cet axiome à tout propos pour souligner le caractère inflexible de la justice. «Tu dois payer l'amende malgré que ton père soit ministre, la loi…» ❖ C'est la loi et les prophètes (France).

LOUP. Quand on parle du loup, on lui voit la queue. *Arrivée/départ.* Au moment même où l'on parle de qqn, il se pointe. Se dit en France.

LOUPS. Au printemps, tous les loups sont maigres. *Fortune.* Contraint par la nécessité, on peut mal agir. Mise en garde. ❖ La faim chasse le loup hors du bois (France).

LUNDI. Petit lundi, la semaine s'ensuit. *Jour.* Un lundi modeste présage une mauvaise semaine. Antonyme de: Petit *lundi,* grosse semaine. Axiome populaire dans le commerce.

Petit lundi, grosse semaine. *Jour.* Un début de semaine modeste annonce des jours fastes. On dit aussi, par contre: Gros lundi, petite semaine. Axiome populaire dans le commerce.

MADRIER. On voit la paille dans l'œil du voisin mais pas le madrier dans le nôtre. *Défaut.* On oublie ses gros défauts pour critiquer les petits défauts d'autrui. ❖ On voit la paille dans l'œil du voisin et on ne voit pas la poutre dans le sien (d'après l'Évangile selon saint Luc, VI, 41, et saint Matthieu, VII, 3).

MAIN À PLUME. Main à plume vaut bien main à charrue. *Travail.* Le travail intellectuel vaut bien le travail manuel.

MAINS. Jeu de mains, jeu de vilains. *Querelle.* Jeux pacifiques dégénèrent en querelle. Se dit notamment des jeux d'enfants qui dégénèrent souvent en «jeux de chiens». La version française évoque des attouchements sexuels. Se dit (XVIIIᵉ) en France.

MAISON. Un bûcheron est maître dans sa maison. *Chez soi/ailleurs.* Chacun est maître chez lui. ❖ Charbonnier est maître chez soi (France).

MAL. Chacun sent son mal. *Malheur.* On souffre seul de son malheur. On ne peut, malgré sa volonté, alléger la souffrance d'autrui. «Laisse-la pleurer: chacun sent son mal.» ❖ Chaque bœuf connaît son piquet (Martinique); Chacun sait où son soulier le blesse (XVIIᵉ, France).

Le mal de l'un ne guérit pas le mal de l'autre. *L'un/l'autre.* On dit aussi pourtant: Le malheur de l'un fait le bonheur de l'autre. Se dit en France. ❖ Mal sur mal n'est pas santé (France).

Mieux vaut souffrir le mal que de le faire. *Mal.*

MAL DE VENTRE. C'est pas un mal de ventre qui va guérir un autre mal de ventre. *L'un/l'autre.* L'un ne répare pas l'autre. ❖ Le mal de l'un ne guérit pas le mal de l'autre; Mal sur mal n'est pas santé (France).

MALADE. C'est déjà être malade que de se croire malade. *Santé.*

Être malade c'est un demi-mal, mourir c'est pire. *Mort. Consolation relative à la maladie.* ❖ Plutôt souffrir que mourir, c'est la devise des hommes (La Fontaine, *Fables,* France).

MALHEUR. À quelque chose malheur est bon. *Malheur.* L'infortune offre toujours une leçon. Formule de consolation face à un malheur. Se dit (XVᵉ) en France.

Le malheur de l'un fait le bonheur de l'autre. *L'un/l'autre.* ❖ Le malheur des uns fait le bonheur des autres (France).

Le malheur de l'un ne fait pas le bonheur de l'autre.
L'un/l'autre. Antonyme moins connu de: Le malheur des
uns fait le bonheur des autres.

**Quand le malheur entre dans une maison, faut lui don-
ner une chaise.** *Malheur.* Le malheur s'acharne sur ceux
qu'il assaille. Se dit de gens assaillis de malheur. ❖ À
qui il arrive un malheur, il en advient un autre (XIVᵉ);
Un malheur ne vient jamais seul (France).

Un malheur en attire un autre. *Enchaînement.* Les mal-
heurs s'enchaînent inexorablement. Pour dire que les mal-
heurs s'enchaînent sans que l'on n'y puisse rien. ❖ Un
malheur ne vient jamais seul (France).

**MALHEUREUX. Quand on est heureux, on fait tout
pour être malheureux.** *Malheur.* L'attirance du malheur
est souvent irrésistible. Observation d'expérience. «Pourquoi désirer une autre femme alors que tu es heureux en
ménage; quand on est heureux…»

MANNE. Manne qui passe, on la ramasse. *Occasion.*
On profite de l'occasion qui passe. ❖ Il faut puiser quand
la corde est au puits (France).

**MARCHANDISES. Toutes marchandises vantées per-
dent leur prix.** *Valeur.* La vantardise déprécie la valeur
des personnes et des choses. ❖ De grands vanteurs petits
faiseurs (XVᵉ, France).

MARDE. Il ne faut jamais remuer la vieille marde.
Passé. Mieux vaut ne pas ressasser un sujet désagréable
ou oublié. Familier. ❖ Il ne faut pas réveiller le chat qui

dort (XVIe); Plus on remue la merde, plus elle pue (XVIIIe, France).

On (ne) sent pas sa marde. *Défaut.* On discerne mal ses défauts, contrairement à ceux d'autrui. Familier. ❖ Le bossu ne voit pas sa bosse et voit celle de son confrère (XVIe, France).

Plus tu brasses la marde, plus elle pue. *Passé.* Plus on revient sur un sujet désagréable, pire il devient. Se dit notamment des commères qui ne cessent de colporter les ragots. ❖ Plus on remue la boue et plus elle pue (XIIIe); Plus on remue la merde, plus elle pue (XVIIIe, France).

MARDI. Qui pleure mardi rit le vendredi. *Inconstance.* Qui s'attriste un jour gai se réjouit un jour triste.

Qui rit mardi pleure le vendredi. *Inconstance.* Qui se réjouit un jour gai pleure un jour triste. Éloge de la pondération dans la joie et la tristesse. ❖ Tel qui rit vendredi dimanche pleurera (Racine, XVIIIe, France).

MARI. Qui prend mari prend pays. *Mariage.* La mariée s'établit là où réside le mari.

Qui prend mari prend parti. *Mariage.* La femme se doit d'appuyer le mari. Adaptation vraisemblable de: Qui prend mari prend pays.

Qui prend mari prend souci. *Mariage.* Se dit du mariage qui constitue un fardeau pour la femme. Adaptation probable de: Qui prend mari prend pays.

n dont la mémoire est défaillante.
ièvre qui se perd en courant (France).

n pêcheur, bon menteur. *Mensonge.*
à exagérer l'importance de ses prises.
u mensonge. Se dit souvent d'un men-
Pousse mais pousse égal, tu ne peux avoir
e force; bon pêcheur...»

a menti mentira. *Mensonge.* Le men-
mais. ❖ Qui a bu boira (France).

ère telle fille. *Famille.* La fille se com-
mme la mère. Parole de l'Évangile: Ézé-
noncé général. ❖ Mère piteuse fait fille
France).

nd la mesure est comble, elle renverse.
tience a ses limites. En parlant de la
frite. «J'en avais assez de ses jérémia-
'ai apostrophé; quand la mesure est

un son métier et les vaches seront bien
'ualité. Tout ira bien si chacun s'occupe
'emploie en France. Se dit notamment
s affaires des autres. Voir: Chacun dans
dans son *verre.* «Mêle-toi donc de ce qui
n son métier...» ❖ Chacun son métier,
bien gardées (Jean-Pierre Claris de Flo-
IIIe, France).

le métier, remettez votre ouvrage.
faut persévérer à la tâche. Formule

**MARIAGE. Le mariage, c'est un brassement de pail-
lasse que tout en craque (que la poussière en r'vole).**
Sexualité. Le mariage ne va pas sans dérangement. Boutade à connotation vaguement sexuelle. «Tu ne dois pas
trop t'en faire, ma pauvre Jacqueline, le mariage, c'est
un brassement...»

**Le mariage est un p'tit bonheur qui monte au deuxième
étage pour faire son lavage.** *Sexualité.* Boutade à connotation sexuelle.

Tel on prépare son mariage, tel on y vit. *Mariage.* La
qualité du mariage dépend de sa préparation. Exhortation
à la future mariée.

**MARIER (SE). Marie-toi, tu fais bien, marie-toi pas,
tu fais mieux.** *Mariage.* Boutade à l'adresse des futurs
mariés. Adaptation populaire d'un propos biblique (I,
Corinthiens). «Il faut se méfier des hommes, ma fille; tu
connais le refrain: marie-toi, tu fais bien...» ❖ Si tu ne
veux pas te tromper, il ne faut pas te marier (Auvergne);
Il y a plus de mariés que de contents (Morvan, France).

Marie-toi devant ta porte avec quelqu'un de ta sorte.
Milieu. Vaut mieux marier quelqu'un de sa condition
sociale et de son milieu. Exhortation aux futurs mariés.
«Pourquoi marier un gars de la ville, tu sais ce qu'on dit:
marie-toi devant ta porte...» ❖ Qui loin va se marier sera
trompé ou veut tromper (France).

**MARMITE. Ce qui mijote dans la marmite du voisin
paraît toujours meilleur.** *Envie.* Le bien d'autrui paraît
toujours meilleur. ❖ Moisson d'autrui plus belle que la
sienne (France).

Il ne faut pas laisser voir ce qui bout dans sa marmite. *Individualité.* Il vaut mieux ne pas dévoiler ses intentions. Invitation à la discrétion. «Vas-y mollo pour séduire cet homme, il ne faut pas laisser voir…» ❖ Chacun sait ce qui bout dans sa marmite (Martinique).

On ne sait (on ne connaît) pas (on ne sait jamais) ce qui bouille [bout] **dans la marmite du voisin.** *Soi/autrui.* On ignore les intentions d'autrui. Exhortation à la vigilance. «Méfie-toi de ce conseiller municipal, on ne sait pas ce qui bout…» ❖ Chacun sait ce qui bout dans sa marmite (Martinique).

Quand la marmite bouille [bout] **trop fort, ça finit par sauter.** *Patience.* Une trop grande colère finit par éclater. Souligne l'aboutissement inéluctable d'une trop grande frustration. «Tu as bien fait, ma fille, de quitter ton mari; quand la marmite…»

MATELOT. Avant d'être capitaine, il faut être matelot. *Hiérarchie.* Il faut obéir avant de commander. Incitation à obéir. «Écoute bien tes parents, mon Jacques; avant d'être capitaine…» ❖ Pour savoir commander, il faut avoir servi (Auvergne, France).

MATINÉE. Pourquoi attendre à c't'arlevée [après-midi] **pour faire ce que tu peux faire c't'a matinée.** *Aujourd'hui/demain.* Vaut mieux ne pas remettre à plus tard ce qui peut être accompli maintenant. Exhortation à ne pas retarder indûment une tâche. M. Marcel Rioux affirme avoir entendu cette formule aux environs de Lévis. Elle aurait pour origine une vieille coutume normande qui est de faire une courte sieste après dîner. L'*arlevée* ou

l'*arlovée*, c'est l'a⌐
la formule. «Il fau⌐
mari; pourquoi atte⌐
au lendemain ce q⌐

MAUVAISE HE⌐
Mal. Le mal se ré⌐
croît toujours (Ér⌐

La mauvaise her⌐
vité. Se dit parfois⌐
ou d'une person⌐
France. ❖ Mauv⌐
vaise graine est tô⌐

MAUX. Aux gra⌐
blème. Aux prob⌐
appropriées. Éno⌐

ME. Me, myself⌐
Par dérision, pour⌐
de l'américain; li⌐
moi». «C'est com⌐
myself and I?»

MÉDAILLE. Il f⌐
Jugement. Dans t⌐
et le contre. ❖⌐
France).

MÉMOIRE. Cou⌐
L'oubli impose d⌐

ler de quelc⌐
❖ Mémoire⌐

MENTEUR.⌐
Le pêcheur te⌐
Condamnatio⌐
teur compulsif⌐
réalisé ce tou⌐

MENTIR. Q⌐
teur le reste à⌐

MÈRE. Telle⌐
porte souvent⌐
chiel, XVI, 44⌐
teigneuse (XIII⌐

MESURE. Q⌐
Patience. La⌐
patience qui s⌐
des, alors je⌐
comble…»

MÉTIER. Ch⌐
gardées. *Indiv⌐*
de son affaire.⌐
à qui se mêle d⌐
sa *cour*; Chacu⌐
te regarde: cha⌐
les vaches sero⌐
rian, *Fables,* x⌐

Vingt fois su⌐
Persévérance.

attribuée à Boileau (*L'art poétique*, XVIIᵉ). Énoncé
général.

**MÉTIERS. Douze (treize, quatorze, trente-six, cent,
mille) métiers, douze (treize, quatorze, trente-six, cent,
mille) misères.** *Travail.* Habileté en tout n'amène que
déboires.

MEUBLES. Sauvez les meubles! *Bien.* Il faut sauvegarder l'essentiel. Se dit d'une situation difficile où il importe
de préserver le plus important. Aussi, par suite d'un faux
mouvement.

**MIEL. On attire plus de mouches avec du miel qu'avec
du fiel.** *Douceur.* La douceur profite plus que la
force. ❖ On prend plus de mouches avec du miel qu'avec
du vinaigre (France).

**MOITIÉ. Une moitié du monde rit (se moque) de
l'autre moitié.** *Moquerie.* Chacun se moque de
l'autre. ❖ La pelle se moque du fourgon.

**MONDE. Ça prend (il faut) toutes sortes de monde
pour faire un monde.** *Caractère.* Il y a toutes sortes de
gens. Se dit notamment d'une personne au comportement
ou à l'apparence insolite. Voir: Il en faut de tous les *genres.* «Tu préfères vivre dans la misère toute ta vie? Bon.
Ça prend toutes sortes de monde...»

Il faut de tout pour faire un monde. *Caractère.* Tous
les comportements et toutes les opinions se rencontrent
dans le monde. Se dit notamment d'une personne au

comportement ou au caractère difficile. Voir: Ça prend toutes sortes de *monde* pour faire un monde.

Le monde appartient à ceux qui se lèvent tôt. *Tôt/tard.* L'anglais dit: *"The early birds catch the worms in the morning."* ❖ Paris appartient à ceux qui se lèvent tôt; Coucher de poule et lever de corbeau écartent l'homme du tombeau (France).

Plus tu joues dans le monde, plus ça pue. *Expérience.* Plus la vie avance, plus elle répugne.

MONEY. No money no candy. Argent. Pas d'argent, pas de bien. Emprunt de l'américain. L'anglais d'Angleterre dit plutôt: *"No money no piper."* La version française (ci-dessous) date de l'époque des mercenaires suisses qui louaient leurs services au pays le plus offrant, notamment à la France. Ils n'admettaient cependant aucun retard dans le paiement de leurs soldes, d'où le proverbe. Se dit à l'adresse de qui désire obtenir qqch. sans débourser d'argent. ❖ Pas d'argent, pas de Suisse (France).

MONTER. Tout ce qui monte doit redescendre. *Sort.* Tout ce qui s'élève (notamment dans la hiérarchie sociale) déchoit. Peut avoir une connotation sexuelle. ❖ Il en est ainsi en ce monde, quand l'un descend l'autre monte (XVe, France).

MONTURE. Qui veut aller loin ménage sa monture. *Action.* Qui veut accomplir beaucoup économise ses forces. ❖ Qui veut voyager loin ménage sa monture (Racine, *Les plaideurs,* France).

MORDURE. Mordure [morsure] **d'un chien ou mordure d'une chienne, c'est la même mordure.** *Mal.* Le mal est toujours le mal, peu importe son origine.

MORTS. Il ne faut pas réveiller (on ne déterre pas) les morts. *Passé.* Mieux vaut ne pas réveiller d'anciennes querelles ou de vieilles afflictions. ❖ Ne réveillez pas le chien (le chat) qui dort (France).

MORVEUX. Que celui qui se sent morveux se mouche. *Culpabilité.* Que celui qui se sent coupable en prenne son parti ou qui prend conscience de son défaut le corrige. Se dit à l'adresse de celui que l'on croit coupable. ❖ Qui se sent morveux se mouche (XVIe, France).

MOT. Avec un mot, on peut pendre un homme. *Parole.* La parole a un pouvoir redoutable. Incitation à la prudence dans les paroles, sur le thème: Vaut mieux tourner sa langue sept fois avant de parler. ❖ La langue est un bon bâton (Guadeloupe); Petite pluie abat grand vent (XIVe, France).

MOURIR. On meurt comme on a vécu (un doigt dans l'œil — un doigt dans l'oreille — et l'autre dans le cul). *Naturel.* Le naturel ne change pas. Boutade. Souvent, ironie à propos d'un fatalisme excessif. Parfois péjoratif. «Insouciant toute sa vie, le pauvre vieux n'a jamais pu sortir de la misère; on meurt comme on a vécu…» ❖ Ce qu'on apprend au berceau dure jusqu'au tombeau; C'est le natureau de la bête, elle lève la queue pour pisser (France).

MOUTON. Quand on part en lion, on finit en mouton. *Empressement.* Mise en garde à l'adresse de celui qui se précipite inconsidérément ou gagne beaucoup en début de partie (notamment au jeu de cartes).

MOYENNER. Il y a toujours moyen de moyenner. *Moyen.* Il y a toujours une solution. En voulant dire qu'il y a toujours une façon de se débrouiller. «On peut sûrement s'entendre sur un nouveau prêt: il y a toujours moyen…» ❖ La femme qui aime à laver trouve toujours de l'eau (Suisse); Qui ne peut passer par la porte sort par la fenêtre (France).

MÛR. Quand le fruit est mûr, il tombe. *Occasion.* Tout arrive en temps propice. Exhortation à la patience, à la persévérance. Sur le thème: Tout arrive à point à qui sait attendre. ❖ Quand la poire est mûre, il faut qu'elle tombe (France).

NAGER. Quand on est à l'eau, il faut nager. *Obligation.* Quand on est obligé, il faut se débrouiller. Encouragement à ne pas abandonner. «Ne te laisse pas abattre par tes déboires financiers: quand on est à l'eau…» ❖ Le vin est tiré, il faut le boire (Baïf, *Enseignements et proverbes,* XVIᵉ, France).

NATUREL. Chassez le naturel, il revient au galop. *Naturel.* Même cachée, la nature profonde resurgit toujours. On retrouve l'énoncé dans Destouches, *Le glorieux* (XVIIIᵉ), lui-même inspiré par Horace, *Épîtres*: Chassez le naturel avec une fourche, il reviendra toujours en courant. À propos de qqn qui arrive mal à masquer un mauvais comportement. Se dit en France. ❖ Le renard change de peau, mais pas de naturel (Auvergne, France).

NEZ. Le nez le plus long n'est pas toujours le meilleur senteur. *Savoir-vivre.* Le plus indiscret ou le plus curieux n'est pas toujours le plus perspicace. Se dit d'une personne trop indiscrète.

On ne sait jamais ce qui nous pend au bout du nez.
Aujourd'hui/demain. On ignore ce que l'avenir nous
réserve. ❖ Qui vivra verra (XVe, France).

Un gros nez ne dépare jamais un beau visage. *Beauté.*
Un détail ne gâte pas l'ensemble. Se dit notamment pour
rassurer qqn sur son aspect physique. ❖ Un grand nez
ne gâte jamais beau visage (XVIIIe, France).

Un nez long ne défait pas une belle figure. *Beauté.* Un
détail ne dépare pas l'ensemble. ❖ Jamais grand nez ne
dépara joli visage (France).

NID. Chaque oiseau trouve son nid beau. *Individualité.* Chacun préfère son bien. Relativisation du jugement
de chacun. «Il croit que sa femme est insurpassable en
cuisine: chaque oiseau...» ❖ À chacun oiseau son nid
semble beau (XIIIe); À chacun oisel son ni li est bel
(ancien); À chaque oiseau son nid est beau (France).

**NOCE. Qui va à noce (aux noces) sans prier (sans être
prié) s'en revient sans dîner.** *Savoir-vivre.* Qui se présente sans être invité risque d'être mal accueilli. Mise en
garde à l'adresse de celui qui veut se présenter là où il
risque de n'être pas bien accueilli. ❖ L'on ne doit jamais
aller à noces sans y être prié (XIVe); L'on ne doit point
aller aux noces sans y être invité (France).

**NOCES. On ne dîne point quand on est de noces le
soir.** *Plaisir.* Le plaisir ou la fête se prépare par l'absti-
nence ou le recueillement.

Tous (les) jours ne sont pas noces. *Joie.* Il y a des jours difficiles. Voir: Ce n'est pas tous les jours *fête*. Se dit en France.

NOIRCIR. C'est pas en noircissant les autres qu'on se blanchit. *Réputation.* Ce n'est pas en rabaissant autrui qu'on se rehausse. ❖ Les morveux veulent toujours moucher les autres (France).

NOM. À bon nom qui vient de loin. *Réputation.* L'étranger a toujours bonne réputation. Se dit de l'étranger qui se crée une réputation enviable bien que parfois surfaite. ❖ Une servante de pays lointain a bruit de damoiselle (Pays basque); A beau mentir qui vient de loin. (France).

NOUILLES. Les nouilles ne sont pas toutes dans la soupe. *Sottise.* La sottise se rencontre partout. Accusation voilée. Voir: Les *cornichons* ne sont pas tous dans les pots. «Quel maudit niaiseux! Les nouilles...»

NOUVEAU. Tout nouveau tout beau. *Nouveau.* La nouveauté offre tous les attraits. Exhortation à adopter une attitude critique devant la nouveauté. Se dit en France. «Tu lui trouves vraiment toutes ces qualités, à ta nouvelle voiture? Tout nouveau...»

NOUVELLES. Pas de nouvelles, bonnes nouvelles. *Nouveau.* L'anglais connaît, de la même manière: *"No news, good news."* Se dit (XVIIIᵉ) en France. «Aucune transmission de la Sûreté du Québec, excellente circulation ce matin; pas de nouvelles, bonnes nouvelles!»

Roger Laroche, *CBF Bonjour,* Radio-Canada, février 1989.)

NUIT. La nuit porte conseil. *Jugement.* Proféré souvent par celui qui veut différer une décision importante. Le poète grec Ménandre *(L'arbitrage)* affirme pour sa part: «La nuit, le conseil vient au sage.» Se dit en France.

OBÉIR. C'est plus facile d'obéir que de commander. *Hiérarchie.* Il n'est pas facile de commander. Valorisation du commandement. «Attends d'être père pour parler, mon jeune: c'est plus facile d'obéir...»

ŒIL. Qui risque un œil les perd les deux. *Risque.* Qui risque un peu perd tout. Condamnation du risque. Voir: Qui *risque* tout perd tout. ❖ Qui s'y frotte s'y pique.

ŒUF. Ça commence par un œuf, ça finit par un bœuf. *Malhonnêteté.* La malhonnêteté commence par le larcin et aboutit au vol. On dit pourtant en France: Mieux vaut promptement un œuf que demain un bœuf. ❖ Qui vole un œuf vole un bœuf (XIXᵉ, France).

Qui vole un œuf vole un bœuf. *Malhonnêteté.* Le larcin mène au vol. S'emploie en France (XIXᵉ, France). ❖ Au pauvre un œuf vaut un bœuf (XVIᵉ, France).

ŒUFS. Il ne faut pas mettre tous ses œufs dans le même panier. *Risque.* Il ne faut pas engager tous ses atouts dans une même entreprise. Énoncé général.

Qui casse ses œufs les perd. *Bien.* Les biens dilapidés sont perdus. Accusation de qui dilapide ses biens. «Tu as gaspillé ta fortune? Eh bien, ne viens pas t'en plaindre à moi; qui casse ses œufs…» ❖ De gaspilleur jamais bon amasseur (France).

OISEAU. En parlant de l'oiseau, on lui voit les plumes (la queue). *Arrivée/départ.* En parlant de quelqu'un, il survient.

Petit à petit l'oiseau fait son nid. *Persévérance.* Lentement mais avec persévérance, on réussit. Se dit en France. ❖ Petit à petit on va bien loin (XIIIᵉ); mot à mot fait-on les gros livres (France).

OISIVETÉ. L'oisiveté est (la) mère de la paresse (du vice). *Travail.* ❖ L'oisiveté est la mère de tous les vices (France).

ONGUENTS. Dans les petits pots, les bons (meilleurs) onguents (dans les grands les excellents — la mauvaise herbe pousse vite). *Taille.* Série de répliques amusantes relatives à la taille; ainsi, l'une: «Dans les petits pots…» (*i.e.* Les gens de petite taille ont un plus grand mérite); à quoi l'autre pourra répondre: «Dans les grands…» (*i.e.* Les grands en possèdent davantage); et la première de répliquer parfois: «La mauvaise herbe…» (*i.e.* Le mal se répand rapidement). ❖ Dans les petites boîtes, les bons onguens (XVIIIᵉ); Dans les petites boîtes sont les bons onguents (France).

OR. L'or n'a pas d'odeur. *Fortune.* Peu importe la provenance de la fortune. Pour dire que l'origine des biens n'a aucune importance. Se dit en France. ❖ L'argent n'a point d'odeur (XIXᵉ, France).

Tout ce qui reluit n'est pas d'or. *Aspect.* L'apparence n'est pas gage de valeur. Mise en garde contre une apparence trop avantageuse. «Méfie-toi de ce gars de la ville, avec tout son argent qu'il lance par les fenêtres; tout ce qui reluit...» ❖ N'est pas tot or ice qui luist, et tiex ne puet aidier qui nuist (*Le roman de renart,* XIIIᵉ); Tout ce qui brille n'est point or (France).

OREILLES. Les murs ont des oreilles. *Paroles.* Les indiscrets sont partout. Pour dire de ne parler qu'avec prudence. ❖ Un mot dit à l'oreille est entendu de loin; Les haies (les murs) ont des yeux (France).

OS. Chien qui marche, os trouve. *Acharnement.* Qui s'acharne réussit.

Un bon os ne tombe jamais dans la gueule d'un bon chien. *Sort.* Le bien ne va guère au mérite. Pour s'apitoyer sur son infortune ou sur celle d'autrui. «Tout l'héritage est revenu au plus riche de la famille tandis que moi, je n'ai rien: un bon os...» ❖ À un bon chien il n'arrive jamais un bon os (XIXᵉ, France).

OUTILS. Un mauvais ouvrier a toujours des mauvais outils. *Excuse.* L'incompétence n'est jamais à cours d'excuses. ❖ Maveis ovriers ne trovera ja bon ostil (XIIIᵉ); Autant de trous autant de chevilles; Mauvais ouvriers ne trouvent jamais bons outils (France).

OUVRAGE. L'ouvrage dure plus longtemps que ça prend de temps pour le faire. *Travail.* Le travail bien fait dure longtemps. Apologie de l'excellence dans le travail. Voir: Un *travail* fait mérite d'être bien fait.

P

PAIN. Celui qui est né pour un petit pain n'en aura jamais un gros. *Pauvreté.* La fortune ne sourit jamais au miséreux. Autrement dit, il faut se satisfaire de son sort. Lamentation contre la misère. Décrit l'impossibilité de s'affranchir de sa condition sociale. «Pas la peine de t'agiter tant pour t'en sortir; celui qui est né...» ❖ Au gueux la besace (XIXe, France).

Celui qui jette son pain en riant le ramasse plus tard en pleurant. *Bien.* Qui dilapide son bien ou son talent plus tard s'en repent. Exaltation de l'économie et de la prudence. «Pourquoi n'arrêtes-tu pas de dilapider ton bien? Celui qui jette son pain en riant...»

Le monde, c'est une beurrée de marde, plus ça va, moins il y a de pain. *Pauvreté.* La misère ne fait qu'augmenter.

Quand le blé mûrit, le pain moisit. *Âge.* La jeunesse croît, la vieillesse dépérit. ❖ Aujourd'hui en chair, demain en bière (France).

Quand on est né pour (avec) un petit pain, on reste avec un petit pain (ça sert à rien). *Pauvreté.* L'infortune perdure à jamais. Pour dire que l'on ne peut s'affranchir de sa condition sociale. ❖ Au gueux la besace (France).

Si tu manges ton pain blanc en premier, tu manges ton pain noir plus tard. *Sort.* À la fortune et la facilité succède souvent la misère. Mise en garde contre une trop grande facilité, le laisser-aller. «Tout va trop bien pour toi depuis quelques années; si tu manges ton pain blanc...» ❖ Après blanc pain, le bis ou la faim (XVIe); Manger son pain blanc le premier (loc. prov., France).

PAPE. Pourquoi voir le vicaire quand on peut voir le pape. *Autorité.* Mieux vaut s'adresser à l'autorité qu'au subalterne.

PARDONNER. On pardonne à qui sait pardonner. *Faute.* Équivalent de la loi du talion. ❖ Qui pardonne aux mauvais nuit aux bons (France).

PARENTS. (On choisit ses amis mais) on ne choisit pas ses parents. *Famille.* On n'est guère responsable de ses origines. Se dit notamment de mauvais parents.

PARESSE. La paresse est la mère de tous les vices. *Travail.* Énoncé général. ❖ L'oisiveté est la mère de tous les vices (France).

PARIS. On n'a pas bâti Paris en une journée. *Temps.* Avec du temps, on vient à bout de tout. ❖ Paris ne s'est pas faite en un jour (XVIe).

PARLER. On parle comme on a été appris. *Éducation.*
La politesse en paroles tient de l'éducation.

Parle, parle, il en restera toujours quelque chose.
Mensonge. L'effet du mensonge ou de la médisance
perdure longtemps.

Trop parler nuit, trop gratter cuit (trop tirer casse).
Parole. Le bavardage est nuisible, de même que la
moquerie (et l'ambition). ❖ Trop gratter cuit, trop parler
nuit (XIIIᵉ); *Trop grata quescots E trop parla quenotz*
(Languedoc); Trop tirer rompt la corde (XVIᵉ, France).

**PARLEUX. Grand parleux (parleur), petit faiseux
(faiseur).** *Parole.* Le causeur accomplit peu. ❖ De grand
vanteur, petit faiseur (XVᵉ); Brebis qui bêle perd un
morceau; Grande rumeur, petite toison, dit celui qui tond
les moutons (France).

PAROISSE. On prêche pour sa paroisse. *Individualité.*
Chacun défend ses intérêts individuels ou ses
proches. ❖ Chacun prêche pour sa paroisse (pour son
saint) (France).

PART. Il faut faire la part des choses. *Relatif.* Il faut
relativiser son jugement. ❖ Faire la part des choses (loc.
prov., France).

PARTIR. Partir c'est mourir un peu. *Absence.* La
séparation suscite souvent le déchirement. Pour déplorer
un départ. Se dit en France.

Rien ne sert de courir, il faut partir à point. *Empressement.* Mieux vaut agir au moment opportun que de se dépenser en de vains efforts. Populaire dans l'enseignement. Exaltation de l'action opportune. On retrouve la formule dans La Fontaine, *Fables,* «Le lièvre et la tortue». Se dit en France.

PAS. Il n'y a que le premier pas qui coûte. *Action.* C'est le premier effort qui est le plus difficile. Encouragement à prendre l'initiative. Se dit en France.

PAS CAPABLE. Pas capable est mort, son père est enterré. *Action.* Réplique à qui se dit incapable d'accomplir une tâche.

PASSAGES. Il y a beaucoup de passages, pas grand salle à dîner. *Moyen.* Les possibilités sont multiples mais les moyens rares.

PASSÉ. Ce qui est passé est passé. *Passé.* Le passé ne peut se racheter. ❖ Ce qui est passé ne peut revenir (France).

Le temps passé ne revient pas. *Passé.* Voir: Le *temps* passe et ne revient plus. ❖ Le temps perdu ne se répare jamais (France).

PATIENCE. Avec de la patience, on vient à bout de tout. *Patience.* ❖ La patience vient à bout de tout (France).

PAUVRE. Ce n'est pas un vice d'être pauvre. *Pauvreté.* La pauvreté n'a rien de déshonorant. ❖ Pauvreté n'est pas vice (XVIIIe, France).

Ce qu'on fait au pauvre, on le fait au Bon Dieu.
Charité. La charité nous est rendue. Exhortation à la
charité.

Qui (celui qui) donne au pauvre prête à Dieu. *Charité.*
Charité mérite récompense divine. Encouragement à la
charité envers les moins fortunés que soi. Corollaire de
la formule: Les pauvres sont les amis de Dieu, ci-après.
Parole de l'*Évangile* (*Proverbes,* XIX, 17). Se dit en
France.

PAUVRES. Les pauvres sont les amis de Dieu.
Pauvreté. L'amour divin va aux humbles. Formule
d'inspiration religieuse pour dire qu'aux yeux de la
religion, les humbles ont préséance sur les fortunés et les
orgueilleux. Exaltation de la pauvreté et de l'humilité.

PAYER. Payez et vous serez considéré. *Argent.* Sur le
thème: Les bons comptes font les bons amis. Se dit
notamment dans le commerce. ❖ Le bon payeur est de
bourse d'autrui seigneur (XVIIe, France).

PAYS. Chaque pays fournit son monde. *Milieu.* On
reste marqué par ses origines. ❖ Homme doit vivre selon
le pays où il est (XVe, France).

**PEAU. Dans la (sa) peau mourra (meurt) le crapaud
(le renard).** *Naturel.* Tel on est, tel on reste. On ne peut
changer du tout au tout de personnalité ou de mode de
vie. Connotation péjorative. «Ce voyou serait devenu tout
à coup un petit saint? Non, non! Dans la peau…» ❖ En
la peau où le loup est, il y meurt (XVIe); Le loup mourra
dans sa peau (France).

Il ne faut pas vendre la peau de l'ours avant de l'avoir tué. *Empressement.* Il ne faut pas agir précipitamment, avant d'être assuré du résultat. Condamnation de l'action précipitée. L'énoncé est dans les *Mémoires* (1523) de Philippe de Commynes. Énoncé général. ❖ Il ne faut marchander la peau de l'ours devant que la beste soit prise et morte (XVe et La Fontaine, *Fables*); Il ne faut pas vendre la peau de l'ours avant qu'on ne l'ait mis en terre (France).

On est plus réduit à sa peau qu'à sa chemise. *Bien.* On est plus obligé envers sa propre personne qu'envers ses biens. ❖ La peau est plus proche que la chemise (XIXe); *La pet toco mès que la camiso* (Languedoc, XVIIIe, France).

PÉCHÉ. Péché avoué est à moitié pardonné. *Faute.* Avouer sa faute favorise le pardon. Se dit par rapport à une réalité morale. Énoncé général. ❖ Faute avouée est à moitié pardonnée (XVIIIe, France).

Tu meurs toujours par où tu as péché. *Faute.* Peut avoir une connotation sexuelle. Boutade souvent. Condamnation de celui qui a commis une faute. «Voilà où mène le crime: il s'est fait abattre par la police; tu meurs toujours…» ❖ On est souvent puni par où l'on a péché (La Fontaine, *Fables,* et Florian, France).

PÊCHEUR. La tête du pêcheur ne portera jamais la couronne. *Sort.* Le pêcheur restera toujours de condition humble.

Un bon pêcheur meurt debout dans sa barque. *Devoir.* Un bon travailleur meurt à la tâche. Se dit parfois au sens littéral. Voir: Un bon *soldat* meurt debout dans ses bottes.

PEINE. Chaque (à chaque) jour suffit sa peine. *Épreuve.* On ne doit pas se faire du souci pour l'avenir. S'inspire de saint Matthieu (*Évangile,* VI, 34). Se dit en France. «Ne te préoccupe donc pas de mon avenir; à chaque jour...»

Il n'y a pas de plaisir sans peine. *Plaisir.* ❖ Nul plaisir sans peine (XIXᵉ, France).

La peine emporte le profit (le plaisir). *Épreuve.* Il y a beaucoup de peine pour peu de joie ou de profit. Se dit notamment du travail. ❖ Force peine et peu de grain mettent l'homme en mauvais train (France).

On n'a rien sans peine. *Effort.* ❖ Nul bien sans peine (XVᵉ, France).

PENSER. À penser on devient pensu. *Réflexion.* À trop réfléchir, on n'aboutit guère. Invitation à ne pas réfléchir à outrance. «Arrête de te poser des questions sur cette fille! À penser...» ❖ Trop penser fait rêver (France).

PERDRE. On perd tout en voulant trop gagner. *Ambition.* Condamnation de la cupidité. Sur le thème: Qui trop embrasse mal étreint. ❖ Cil qui tout convoite tout perd (XIIIᵉ, France).

PÈRE. On ne peut pas plaire à (contenter) tout le monde et à (et) son père (en même temps). *Nombre.* On ne peut plaire à tous. ❖ On ne peut contenter tout le monde et son père (La Fontaine, *Fables*); On ne saurait plaire à tout le monde (France).

Tel père tel fils (telle mère, telle fille). *Famille.* L'enfant suit les traces des parents. Exprime parfois une opinion péjorative. Énoncé général.

PERSONNE. Une personne avertie en vaut deux. *Connaissance.* La personne prévenue peut prendre les mesures adéquates. ❖ Un (homme) averti en vaut deux (France).

PÉTAQUES. Les petites pétaques [pommes de terre] **sont pas grosses.** *Évidence.* Formule de moquerie relativement à une évidence absurde. «S'il ne pleuvait pas, il ferait soleil!» [L'autre:] «Les petites pétaques…»

PÉTER. Il ne faut pas péter plus haut que le trou. *Orgueil.* Il ne faut pas se croire plus important qu'on ne l'est en réalité. Pour rabrouer un prétentieux. «Voyons donc, il n'est jamais aussi adroit qu'il le prétend, ce gars; il ne faut pas péter…» ❖ On ne saurait péter plus haut que le cul (XVIIe); il ne faut pas péter plus haut que le cul (France).

Tout ce qui pète n'est pas cul. *Aspect.* Les apparences sont trompeuses. Se dit d'un aspect trop avantageux. «Le bonhomme avait l'air d'une vraie carte de mode mais j'vas dire comme c'te gars, tout ce qui pète…»

PETIT. On a souvent besoin d'un plus petit que soi. *Aide.* Se dit (La Fontaine, *Fables*) en France. Proféré parfois par celui qui dispense son aide.

PIERRE. Pierre qui roule n'amasse pas mousse. *Chez soi/ailleurs.* Il est stérile de courir le monde. Se dit parfois de qui n'arrive pas à tenir en place ou qui change continuellement d'emploi. En usage dans la francophonie. ❖ Pierre volage ne queult mousse (XIIIe, France).

PIGEON. Il ne sort pas de pigeon blanc d'un nid de corbeau. *Famille.* Une bonne personne ne peut provenir d'un milieu mauvais. Se dit notamment d'un enfant qui évolue dans un mauvais entourage. Voir: On ne trouve pas de *colombe* dans un nid de corbeau. ❖ Nul lait noir, nul blanc corbeau (XVIe); La brebis noire ne fait pas d'agneaux blancs (Auvergne, France).

PLACE. C'est aujourd'hui la Saint-Lambert, qui quitte sa place la perd (c'est aujourd'hui la Saint-Laurent, qui quitte sa place la reprend). *Abandon.* Qui s'absente perd sa place (qui revient la reprend). Proféré notamment par qui s'est emparé de la place d'un absent, à quoi ce dernier répliquera souvent par la deuxième partie de la formule. Un dicton ayant une forme identique se retrouve chez Chassany *(Dictionnaire de météorologie populaire)*: À la Saint-Hubert, qui quitte sa place la perd (région de la Bretagne). Il signifie qu'à la fête de la Saint-Hubert, qui se célèbre le trois novembre, mieux vaut ne pas quitter sa place près du foyer, en raison du début de la saison froide.

PLAISIR. Ça fait plaisir de faire plaisir. *Plaisir.* La charité ou la bonté comble son auteur. Pour dire que ce que l'on fait à autrui nous revient. ❖ Jamais un plaisir ne se perd entre gens de bien (France).

PLANCHER. On marche toujours de travers sur un plancher qui nous appartient point. *Soi/autrui.* La générosité ou l'hospitalité d'autrui met souvent mal à l'aise.

PLUMAGE. Ce n'est pas le plumage qui fait l'oiseau (le bel oiseau). *Aspect.* L'apparence seule ne dévoile pas la valeur d'une personne. Mise en garde contre une apparence trop avantageuse. ❖ Il ne faut pas juger le sac à l'étiquette (France).

Le (c'est le, c'est le beau) plumage qui fait l'(le bel) oiseau. *Aspect.* L'apparence dévoile la personne. S'oppose à: L'habit ne fait pas le moine. ❖ Juge l'oiseau à la plume et au chant, et au parler l'homme bon ou méchant (XVIe); La robbe fait l'homme (XVIe); La belle plume fait le bel oiseau (France).

PLUMES. L'oiseau, pour voler, ça lui prend toutes ses plumes mais toi, ça (ne) t'en prend rien qu'une. *Malhonnêteté.* Se dit à l'adresse d'un professionnel (notaire, avocat, comptable, etc.) qui triche dans une transaction. *Plume*: symbole de l'écriture. ❖ L'oiseau ne peut voler sans ailes (XVe, France).

POCHE. Au plus fort la poche. *Force.* Au plus fort ou au plus rusé, la réussite est due. Apologie et justification du pouvoir. ❖ Au plus larron la bourse (XVIIIe, France).

Celui qui tient la poche (le sac) est aussi pire (coupable) que celui qui met dedans (qui vole). *Malhonnêteté.* Le complice partage la culpabilité avec le voleur. ❖ Autant pèche celui qui tient le sac que celui qui met dedans (France).

Quand la poche est pleine, elle renverse. *Ambition.*
L'ambition perd son auteur. Condamnation de l'ambition.
Voir: Quand la *marmite* bouille [bout] trop fort, ça finit
par sauter.

**POÊLE. C'est le plus vieux poêle qui chauffe le plus
fort.** *Âge.* Les plus âgés ont le plus d'ardeur amoureuse.

**Il ne faut pas préparer le (la) poêle avant d'avoir le
poisson.** *Empressement.* Mieux vaut ne pas se réjouir
avant que le résultat ne soit assuré. Mise en garde contre
la présomption. «Attends d'être assuré de ta réussite à
l'examen avant de trop te réjouir: il ne faut pas préparer
le poêle...» ❖ Il ne faut pas faire l'étable au veau avant
qu'il soit né (France).

POGNÉ. Pogné [poigné] **hier, pogné** [poigné] **aujour-
d'hui, pogné** [poigné] **demain.** *Aujourd'hui/demain* Se
dit de l'éternel empêtré. ❖ Quand un âne va bien, il va
sur la glace et se casse une patte (France).

POINT. Faute d'un point, Martin a perdu son bien.
Sort. Faute d'un élément infime, la chose risque
d'échapper. *Martin*: quiconque. Ainsi, en France: Qui
aime Martin aime son chien. ❖ Faute d'un point, Martin
a perdu son âme (XVIe, France).

POIRE. Il faut se garder une poire pour la soif.
Prévoyance. Mieux vaut garder quelque chose pour le
besoin. Éloge de la prévoyance. Se dit en France. ❖ Il
faut garder une poire pour la soif (XVIIIe, France).

**POMMES. On ne compare pas des pommes avec des
oranges.** *Comparaison.* On ne compare pas ce qui ne peut

être comparé. ❖ Ce n'est mie comparaison de suie à miel (France); Il ne faut pas confondre le coco et l'abricot; le coco a de l'eau, l'abricot un noyau (Martinique).

PORTE. Nettoie (si chacun nettoyait) le devant de ta (sa) porte, (toute) la rue sera (serait) propre. *Individualité.* Tout irait pour le mieux si chacun s'occupait de ses affaires. Voir: Chacun dans sa *cour.* ❖ Que chacun balaie devant sa porte et les rues seront nettes (France).

Si tu es propre, on le verra par le seuil de ta porte. *Individualité.* La propreté ou la vertu commence d'abord par soi, chez soi. Mieux vaut s'occuper de ses propres intérêts que de s'immiscer dans les affaires d'autrui. «La petite Villeneuve est assez grande pour savoir ce qu'elle fait; si tu es propre...»

POULE. (C'est toujours la, la première) poule (la poule qui chante, la poule qui cacasse) (est celle) qui pond (qui a pondu, qui pond l'œuf). *Culpabilité.* Qui proteste le plus de son innocence révèle sa culpabilité. Se dit de celui, et notamment d'un enfant, qui proteste trop de son innocence avant même d'être accusé. *Cacasser:* caqueter. ❖ C'est la poule qui chante qui a fait l'œuf (Bourbonnais); La plus méchante roue crie le plus fort (France).

Une poule qui chante comme le coq n'est bonne qu'à tuer. *Mariage.* Dans un couple, la femme ne doit pas se substituer à l'homme. Image de la misogynie. ❖ Le ménage va mal quand la poule chante plus haut que le coq (contemporain). Malheureuse maison et méchante où coq se tait et poule chante (XVIIᵉ et Molière, *Les femmes*

savantes); Le ménage va mal quand la poule chante plus
haut que le coq (France).

**POULES. Si les poules pondaient des haches, elles se
fendraient le cul.** *Supposition.* Se dit en réponse à une
supposition absurde. ❖ Si la mer bouillait, il y aurait bien
des poissons de cuits (France).

**POULETS. Il ne faut pas compter ses poulets avant
qu'ils soient éclos.** *Empressement.* Mieux vaut ne pas se
réjouir avant l'issue d'un événement. Condamnation de
la réjouissance prématurée. On lit dans les *Fables*
d'Ésope: Ne comptez pas vos poussins avant qu'ils ne
soient éclos. ❖ Ne criez pas «des moules» avant qu'elles
ne soient au bord (Belgique); C'est viande mal prête que
lièvre en buisson (France).

POUSSIÈRE. La poussière avant le balai. *Hiérarchie.*
La racaille avant les gens de valeur. Se dit plus ou moins
en boutade à qui demande de passer devant soi. On dira
pourtant aussi: Les rois avant les épais.

POUVOIR. Le pouvoir est moins fort que le vouloir.
Volonté. Vouloir ne veut pas dire pouvoir. Le français
de France connaît pourtant: Vouloir, c'est pouvoir.

PREMIER. Premier arrivé, premier servi.
Premier/dernier. Dit souvent par le premier arrivé ou par
celui qui sert les clients dans un commerce.

PRÊTRE. Qui mange du prêtre en crève (en meurt).
Clergé. Parler en mal du prêtre ou du clergé porte
malheur. Mise en garde contre la médisance.

PRÉVENIR. Il vaut mieux (vaut mieux) prévenir que guérir. *Prévoyance.* Mieux vaut prévoir que s'en repentir. Énoncé général. «Tu ferais bien d'amarrer ta chaloupe avant la tempête; vaut mieux prévenir…»

PRINTEMPS. Le rossignol ne fait pas le printemps. *Conjecture.* Un indice seul ne prouve pas le fait. Mise en garde contre une conclusion trop hâtive. ❖ Une hirondelle ne fait pas le printemps (XVIIIe, France).

PROCÈS. D'un procès, le gagnant sort en queue de chemise, le perdant tout nu. *Justice.* Tous sont perdants dans un procès. Condamnation de la justice institutionnelle. ❖ Qui gagne son procès est en chemise, qui le perd est tout nu (Dauphiné).

PROMESSE. Chose promise, chose due. *Promesse.* Se dit en France.

PROPHÈTE. Personne n'est prophète dans son pays. *Milieu.* La reconnaissance ne vient guère de son milieu. Pour dire que la reconnaissance vient souvent d'abord de l'étranger. ❖ En son pays prophète sans pris (XVIe, France); Nul n'est prophète dans son pays (France).

PROVERBE. À tout proverbe on peut trouver sa chaussure. *Sagesse.* Tout proverbe recèle une vérité. ❖ Proverbe ne peut mentir (France).

QUALITÉS. Chacun ses qualités, chacun ses défauts.
Individualité. Tous possèdent qualités et défauts.
Condamnation du jugement d'autrui. «Arrête de me parler
en mal de Pierre, Jean, Jacques; chacun ses qualités…»

QUÉQUETTE. Grosse Corvette, p'tite quéquette.
Sexualité. Voiture puissante, manque de virilité. Moquerie
à l'adresse d'un jeune fanfaron en automobile.

QUESTION. À sotte question, pas de réponse. *Sottise.*
La question hors de propos ne mérite pas de réponse. En
réponse à une question mal à propos. ❖ À sotte demande,
il ne faut pas de réponse (XVIᵉ, France).

**QUÊTEUX. Les quêteux montés à cheval oublient le
balai.** *Fortune.* Les nouveaux riches oublient souvent leur
misère passée. Pour remettre à sa place un parvenu.
«Maintenant qu'elle a gagné à la loterie, elle ne nous
regarde plus: les quêteux montés à cheval…»

R

RAT. À bon chat bon rat. *Réaction.* À futé, plus futé encore. S'emploie en France. Pour dire notamment qu'une ruse appelle une meilleure ruse. ❖ À trompeur trompeur et demi (XVIᵉ, France).

RENARD. Laissons péter le renard. *Sottise.* Laissons la sottise s'exprimer. Autrement dit, peu importe l'opinion d'autrui. Sur le thème: *Bien faire et laisser braire.*

RENOMMÉE. Bonne renommée vaut mieux que ceinture dorée. *Réputation.* Réputation vaut mieux que richesse. Se dit en France.

RÉPUTATION. Une réputation perdue ne se retrouve plus. *Réputation.* ❖ A beau se lever tard qui a bruit de se lever matin (XIXᵉ, France).

RESPONSABILITÉ. La responsabilité monte et ne descend pas. *Sort.* Les responsabilités ne cessent de s'accroître avec l'âge. ❖ À haute montée le fais encombre (XVᵉ, France).

RESSEMBLER. Qui s'assemble se ressemble. *Réunion.*
Énoncé général. Formule à connotation souvent
défavorable. Se dit parfois de gens peu recommandables.
On pourra aussi dire: Qui se ressemble
s'assemble. ❖ Qui se ressemble s'assemble (France).

**RETARD (EN). Vaut mieux arriver en retard (tard)
qu'en (qu'arriver en) corbillard.** *Arrivée/départ.* Se dit
en réponse au reproche de ne pas arriver à
temps. ❖ Mieux vaut tard que jamais (France).

**RHUME. Soignez un rhume, il dure trente jours; ne
le soignez pas, il dure un mois.** *Sort.* Rien ne sert de
lutter contre le destin. Pour dire de laisser agir le destin.

RICANEUX. Grand ricaneux, grand brailleux. *Rire.*
Qui rit beaucoup pleure beaucoup. ❖ Trop rire fait
pleurer (France).

RICHE. Il n'y a pas de quêteux de riche. *Fortune.* Le
riche n'est pas à la merci d'autrui ou du destin.

**Vaut mieux être riche et en santé que pauvre et
malade.** *Sort.* Pendant ironique de: Vaut mieux être
pauvre et en santé que riche et malade. ❖ Au riche
homme souvent sa vache vêle, et du pauvre le loup veau
emmène (XVIe, France).

RICHESSE. Santé passe, richesse reste. *Fortune.* On
dit en France: Contentement passe richesse.

**RIRE. Il faut rire avant de mourir de peur de mourir
sans avoir ri.** *Joie.* Se dit en France. L'énoncé se retrouve
notamment chez La Bruyère.

Il vaut mieux (en) rire que (qu'en) pleurer. *Sort.* Mieux vaut plaisanter que de se lamenter. Se dit notamment à l'adresse de qui se lamente de son sort.

Qui commence une journée en riant la finit en pleurant. *Inconstance.* À une joie excessive succède la peine. Exprime la méfiance envers la joie. ❖ Qui rit le matin pleure le soir (France).

Qui rit (si tu ris) aujourd'hui pleurera (tu pleureras) demain. *Inconstance.* De l'alternance de la joie et du chagrin. Voir: Qui rit *mardi* pleure le vendredi. ❖ Trop rire fait pleurer (France).

Rira bien qui rira le dernier. *Rire.* Se retrouve chez Florian *(Fables).* Énoncé général. ❖ Il rit assez qui rit le dernier (XVIIᵉ, France).

RISÉE. Grand'risée, grands pleurs. *Rire.* À la joie succède le chagrin. Se dit notamment de l'enfant ou du bébé qui rit beaucoup. Image de la méfiance envers le rire. ❖ Trop rire fait pleurer (France).

Quand on ne vaut pas une risée, on ne vaut pas grand-chose. *Rire.* Viendrait de l'anglais.

RISQUER. Qui ne risque rien n'a rien mais qui n'a rien ne risque rien. *Risque.* Qui n'a rien peut tout risquer. ❖ Qui ne risque rien n'a rien (XVᵉ, France).

Qui risque tout perd tout. *Risque.* Parfois précédé de: Qui ne *risque* rien n'a rien. ❖ Qui ne se hasarde n'est jamais pendu (France).

ROBE DE VELOURS. Robe de velours éteint le feu à la maison. *Aspect*. La coquetterie compromet l'accomplissement des tâches domestiques. Reproche à l'adresse de l'épouse. *Feu*: symbole du foyer domestique. ❖ Robe de velours, ventre de bure (France).

ROCHES. Les roches parlent. *Paroles*. Il y a toujours des indiscrets pour rapporter nos paroles. Même sens que: Les murs ont des oreilles. Incitation à la prudence dans les paroles. «Ne parle pas trop contre les professeurs; on pourrait rapporter tes paroles. Les roches...» ❖ Les murs ont des oreilles (France).

ROI. Quand on est roi, on n'est pas valet. *Hiérarchie*. L'autorité ne peut s'abaisser. Voir: Quand on est valet, on n'est pas roi.

ROIS. Les rois avant les épais. *Hiérarchie*. Les personnes de qualité avant les sots. Se dit en boutade par qui croit avoir prérogative sur autrui.

Les rois avant les valets (avant les oies). *Hiérarchie*. Les puissants avant les subalternes. Se dit plus ou moins en boutade quand on passe devant autrui. Voir: Quand on est roi, on n'est pas valet.

ROSE. Tout ce qui brille n'est pas rose. *Aspect*. Un extérieur avantageux cache souvent de mauvaises surprises. ❖ Tout ce qui brille n'est pas or (France).

ROSES. Si les roses ont des épines, sous les épines se cachent les roses. *Aspect*. Un extérieur rébarbatif cache souvent un grand cœur. ❖ Nulle rose sans épines (XVIᵉ, France).

ROSIER. Un vieux rosier ne se transplante pas. *Âge.*
Un vieillard ne peut changer ses habitudes. ❖ Un vieux
pigeon n'a jamais quitté son pigeonnier (Auvergne,
France).

S

SALAIRE. Toute paye mérite salaire. *Travail.* Toute action mérite récompense. ❖ Toute peine mérite salaire; À toute peine est dû salaire (France).

SANG. On ne peut pas faire sortir du sang d'un navet. *Sottise.* On ne peut guère convaincre un sot. Se dit par dépit à l'adresse de qui demeure insensible aux arguments. ❖ Savonnez un âne noir, vous ne le rendrez jamais blanc; Il ne sort du sac que ce qu'il y a (France).

SANTÉ. Santé passe richesse. *Santé.* Voir, par opposition: Santé passe, *richesse* reste. ❖ Contentement passe richesse; Celui qui a la santé est riche (France).

SCIES. S'il y avait seulement des scies, il n'y aurait plus de poteaux. *Supposition.* Se dit en réponse à une supposition absurde. ❖ Si la mer bouillait, il y aurait bien des poissons de cuits (France).

SCOUTES. Deboute [debout] **les scoutes** [scouts]**, à terre les pères.** *Réveil.* Formule amusante pour réveiller qqn, notamment un enfant.

SECRET. Un secret partagé perd sa valeur. *Secret.* ❖ Secret de trois, secret de tous (XVIIe); Il n'est secret que de rien dire (France).

SEIGNEUR. La crainte (du Seigneur) est le commencement de la sagesse. *Sagesse.* La crainte du châtiment divin aide à bien se conduire. Se dit notamment entre enfants. ❖ La crainte du gendarme est le commencement de la sagesse (XVIIIe, France).

SEMENCE. Il ne faut pas mettre toute sa semence dans le même champ. *Risque.* Il ne faut pas mettre tous ses avantages dans une seule entreprise. ❖ Il ne faut pas mettre tous ses œufs dans le même panier (XIXe, France).

SEMER. Il faut semer pour récolter. *Travail.* Il faut travailler pour réussir. ❖ Il faut semer qui veut moissonner (XVIe, France).

SERVICE. Un service en attire un autre. *Aide.* Un bienfait est souvent payé de retour. Réciprocité du bienfait. Se dit souvent par celui qui rend un service en retour. ❖ Un bienfait n'est jamais perdu (XVIe); Le bon service amène le bénéfice (France).

SÈVE. Tant qu'il y a de la sève, l'arbre (ne) tombe pas. *Santé.* Tant que dure l'ardeur (amoureuse), la vie s'épanouit. Notamment, allusion voilée à la sexualité.

SI. Avec (un) «si» on va à Paris, avec (un) «ça» on reste là. *Supposition.* Se dit en réponse à une supposition absurde. ❖ Avec des (un) «si», on mettrait Paris dans une bouteille (France).

SIFFLER. Siffler n'est pas jouer. *Action.* Parler n'est pas agir. Incitation à agir. Aurait pour origine le jeu de dames, où l'on dit: «Souffler n'est pas jouer.»

SILENCE. Le silence est d'or, la parole est d'argent. *Parole.* Mieux vaut se taire plutôt que de parler à tort et à travers. Énoncé général. ❖ La parole est d'argent mais (et) le silence est d'or (France).

SINGE. Plus un singe monte dans un arbre, plus il monte sur les fesses. *Hiérarchie.* Gravir l'échelle sociale ne va pas sans avilissement. Aussi: Plus on gravit l'échelle sociale, plus on travaille assis. ❖ Plus le singe s'élève, plus il montre son cul pelé (XIXe, France).

SINGES. Ce n'est pas aux vieux singes qu'on apprend à faire la grimace. *Expérience.* On ne peut en imposer aux gens d'expérience. Éloge de l'âge et de l'expérience. ❖ Ce n'est pas à un vieux singe qu'on apprend à faire la grimace; On ne prend pas les vieux merles à la pipée (France).

Les singes avant les princes. *Beauté.* Les laids avant les puissants. Se dit en boutade, notamment par les jeunes, à qui veut précéder l'autre.

SOLDAT. Un bon soldat meurt debout dans ses bottes. *Devoir.* Un homme de bien accomplit son devoir jusqu'au bout. Se dit dans une situation apparemment désespérée. Voir: Un bon *pêcheur* meurt debout dans sa barque.

SOLEIL. Celui qui se laisse battre par le soleil ne devient jamais riche. *Tôt/tard.* Qui ne se lève avant l'aube ne s'enrichit guère. ❖ Paris appartient à celui qui se lève tôt; Qui dort jusqu'à soleil levant, il mourra pauvre finalement (France).

Le soleil reluit pour tout le monde. *Bonheur.* Chacun a droit à sa part de chance ou de bonheur. ❖ Le soleil luit pour tout le monde (France).

Où le soleil entre, le médecin n'entre pas. *Santé.* Se dit de la maison dont il faut ouvrir portes et fenêtres pour laisser entrer le soleil et le grand air.

Pas de samedi sans soleil (ni de vieille — de ville — sans conseil). *Joie.* La joie et la sérénité reviennent toujours, malgré les vicissitudes. S'entend aussi littéralement comme dicton. Parfois, boutade. Adaptation d'un dicton d'origine française, ci-après. ❖ Pas de samedi sans soleil ni de femme sans conseil (France).

Quand on parle (en parlant) du soleil, on voit ses rayons. *Arrivée/départ.* En parlant de qqn, il arrive justement. Se dit surtout d'une personne de commerce agréable, et notamment d'un enfant, contrairement par exemple à: «En parlant du *diable* on lui voit les cornes.» ❖ Quand on parle du loup on en voit la queue (France).

SOUFFRIR. Vaut mieux souffrir que mourir. *Mort.* Éloge de la vie. ❖ Plutôt souffrir que mourir, c'est la devise des hommes (La Fontaine, *Fables*).

SOUHAITER. Qui souhaite mal souvent vous arrive.
Souhait. Le souhait malveillant se retourne contre son
auteur. ❖ En souhaitant nul n'enrichit (XVIIᵉ, France).

**SOURCE. Il ne faut jamais dire: «Source, je ne boirai
pas (jamais) de ton eau.»** *Aujourd'hui/demain.* Mieux
vaut ne pas présumer de l'avenir. Mise en garde. ❖ Il
ne faut jamais dire: «Fontaine, je ne boirai pas de ton eau»
(France).

**SOURD. Il n'y a pas de pire sourd que celui qui ne
veut pas entendre.** *Raison.* On ne peut raisonner celui
qui reste sourd aux arguments. Énoncé général. ❖ Il n'y
a point de pires sourds que ceux qui ne veulent point
entendre (Molière, *L'amour médecin*); N'est si mal sourd
comme cil qui ne veut ouïr goutte (XIIIᵉ); Il n'est pire
sourd que celui qui ne veut pas entendre (France).

**SOURDS. On ne dit pas la messe deux fois pour les
sourds.** *Parole.* On ne répète pas pour celui qui feint la
surdité ou l'ignorance. Réplique à qui demande de répéter
un propos.

**SOURIS. Quand le chat est parti (dort), les souris
dansent.** *Autorité.* L'autorité absente, les subalternes en
profitent. Se dit notamment des enfants qui s'en donnent
à cœur joie quand les parents s'absentent. ❖ Absent le
chat, les souris dansent (XVIᵉ); Quand le chat n'est pas
là, les souris dansent (France).

SOUTANE. Manger de la soutane, ça ne se digère pas.
Clergé. Parler en mal du clergé porte malheur. Mise en

garde contre la médisance. Voir: Si vous mangez du *curé*, vous ne le digérerez pas.

SOUVENIRS. Les souvenirs, c'est comme l'expérience: ça ne s'achète pas. *Passé.*

TABAC. On bourre sa pipe avec le tabac qu'on a. *Bien.*
On se contente de ce que l'on possède. ❖ Où la chèvre
est liée, il faut qu'elle broute; Il ne saurait sortir d'un sac
que ce qui y est (France).

**TABLE. Ce qu'on laisse sur la table fait plus de bien
que ce qu'on y prend.** *Charité.* La charité doit prévaloir
sur l'accumulation des biens. Incitation à la générosité.
«Tu devrais donner à la guignolée, le père, ce qu'on laisse
sur la table…»

TARD. Il n'est jamais trop tard pour bien faire.
Tôt/tard. S'emploie aussi en France. Pour justifier une
action généreuse mais tardive. ❖ Il est toujours temps
de bien faire (France).

**TARTINE. Une tartine de sirop chez nous est parfois
meilleure qu'un banquet ailleurs.** *Chez soi/ailleurs.* Son
bien propre, même modeste, est préférable à celui
d'autrui. ❖ Mieux vaut ta propre morue que le dindon
des autres (Martinique).

TAUPIN. Il n'y a pas rien qu'un bœuf qui s'appelle Taupin. *Nom.* Le même nom peut s'appliquer à plusieurs personnes. Se dit de gens qui portent des noms semblables. ❖ Il y a plus d'un âne à la foire qui s'appelle Martin (XVIIIe, France).

TEMPÊTE. Il ne faut jamais mettre la voile dans la tempête. *Épreuve.* Il ne faut jamais se dérober devant l'épreuve. Condamnation du pleutre.

Qui sème le vent récolte la tempête. *Mal.* Qui répand le mal récolte le malheur. Mise en garde à l'adresse d'un fauteur de troubles. Se dit (XVIIIe) en France.

TEMPS. Chaque chose en son temps. *Empressement.* Mieux vaut ne pas brûler les étapes. Éloge de la pondération en tout. ❖ Chaque chose a son temps (France).

Il y a un temps pour tout. *Occasion.* Il faut agir au moment propice. Encouragement à agir au moment opportun. L'anglais connaît: *"There's a time for all things."* (Shakespeare, *Comedy of Errors*) ❖ Chaque chose a son temps (France).

Le temps, ça ne fait pas des sages, que des vieillards. *Âge.* Pour dire que l'âge n'affine en rien le jugement. «Quand on naît sans dessein, on reste sans dessein: le temps...» ❖ Il n'y a point de cheval qui ne devienne rosse; Plus les ânes sont vieux, plus ils sont sots (Auvergne, France).

Le temps, c'est de l'argent. *Temps.* Le temps est précieux. Énoncé populaire dans le commerce. L'américain dit précisément: *"Time is money."*

Le temps passe et ne revient plus. *Temps.* Pour évoquer l'urgence d'agir. Évidence popularisée par un personnage populaire, le capitaine Bonhomme (Michel Noël). Voir: Le temps *passé* ne revient pas; Ce qui est *passé* est passé. ❖ Le temps perdu ne se répare jamais (France).

TENIR. Vaut mieux dire: «Je tiens» que: «Je tiendrai». *Certitude.* La certitude vaut mieux qu'une promesse. Se dit par qui doute d'une promesse. ❖ Un tiens vaut mieux que deux tu l'auras; Il vaut mieux un lièvre au carnier que trois dans un champ (Auvergne, France).

TÊTE. Il faut qu'il n'y ait qu'une tête. *Hiérarchie.* Il ne doit y avoir qu'un chef.

TÊTE DE SOURIS. Mieux vaut être tête de souris que queue de lion. *Autorité.* Mieux vaut diriger une destinée modeste que servir dans une grande affaire.

TÊTES. Deux têtes valent mieux qu'une. *Jugement.* Deux opinions sont supérieures à une seule. ❖ La sagesse n'est pas enfermée dans une tête (France).

Il y a plus (d'esprit) dans deux têtes que dans une. *Jugement.* Deux opinions favorisent un meilleur jugement. ❖ Deux yeux voient plus clair qu'un seul (France).

TIT PAUL. Si t'as peur de tit Paul, ne vas pas en mer, le noroît te tuera. *Risque.* La crainte risque de mener tout droit à l'échec. Il s'agit de tit Paul Campion, fier-à-bras de Gaspésie, dont le prénom est passé en proverbe parmi les pêcheurs de la région.

TOIT DE VERRE. Qui a un toit de verre ne tire pas de pierres chez son voisin. *Défaut.* Qui n'est point sans défaut s'abstient de se moquer d'autrui. De l'anglais: *"Whose house is of glass must not throw stones at another."* (George Herbert [1539-1633] *in* John Bartlett, *Familiar Quotations,* Boston, Toronto, Little, Brown and Co., 1955.) L'énoncé se retrouve en outre chez le poète anglais Chaucer (*Troïlus et Cressida,* XIVᵉ).

TORCHON. À chaque (un, il n'y a pas de) torchon (qui ne trouve pas, trouve toujours) sa guenille. *Réunion.* Toute personne, même de peu de valeur ou d'apparence rébarbative, trouve le partenaire qui lui sied. Péjoratif. Se dit notamment d'un homme (de peu de valeur) à la recherche d'une femme. ❖ Un torchon trouve toujours sa guenille (France).

TOUT NU. Un tout nu, c'est un tout nu. *Pauvreté.* Le miséreux n'est rien de plus qu'un miséreux. ❖ Rien ne fait pas d'enfants (Guadeloupe).

TRAIN. P'tit train va son train (va loin). *Persévérance.* Constance et persévérance font grandes choses. Sur le thème de: Petit à petit, l'oiseau fait son nid. Se dit parfois par dérision. S'utilise notamment par celui qui agit avec lenteur. ❖ Maille à maille est fait le haubergeon (Rabelais, *Le tiers livre,* XVIᵉ, France).

Qui trop embrasse manque son train. *Ambition.* Qui en veut trop risque de tout perdre. Boutade familière, pour dire qu'il ne faut pas céder à un amour maladif de quelque chose ou de quelqu'un. Déformation amusante de: Qui trop embrasse mal étreint. ❖ Qui trop embrasse mal étreint (XVIIIᵉ, France).

TRAÎNER. Tout ce qui traîne se salit. *Tôt/tard.* Ce qui tarde s'altère, se détériore. Énoncé général. Se dit notamment à propos d'une dette. Incitation à agir promptement. Se dit aussi littéralement de vêtements en désordre.

TRAVAIL. Le (un) travail fait mérite d'être bien fait. *Travail.*

Le travail c'est la santé. *Travail.* ❖ Du latin: *Optimum obsonium labor,* Le travail est le meilleur des condiments (France).

Le travail ne fait pas (n'a jamais fait) mourir son homme (personne). *Travail.* Le travail est salutaire.

TRAVAILLER. Il y a cinq cennes [cents] **de différence entre celui qui** [ne] **travaille pas et celui qui travaille, c'est celui qui** [ne] **travaille pas qui l'a.** *Travail.* Le travail profite davantage au oisif qu'au travailleur. De l'iniquité du profit. ❖ Souvent celui qui travaille mange la paille, celui qui ne fait rien mange le foin (Agen); Ce n'est pas l'âne qui gagne l'avoine qui la mange (Auvergne, France).

Plus on travaille, mieux on s'instruit. *Travail.* Le travail est formateur.

TROIS. Le trois fait le mois (si le cinq ne le défait pas).
Jour. Les événements du trois donnent le cours du mois
(à moins que le cinq n'indique le contraire). Se rapporte
principalement à la météorologie mais s'emploie aussi
comme proverbe. Énoncé général.

Rarement un, jamais deux, toujours trois. *Enchaînement.* Les joies comme les peines s'enchaînent. ❖
Jamais deux sans trois (France).

**TROMPER (SE). Vaut mieux se tromper que de
s'étrangler.** *Faute.* Mieux vaut avouer son erreur que de
se perdre. Excuse de l'erreur. ❖ Amendement n'est pas
pescher (XVe, France).

TRUIES. Les truies sont soûles [l'un]**, les cochons s'en
plaignent** [l'autre]**.** *Femme.* Jeu de réplique amusant à
propos d'un rot ou d'un gaz, le responsable proférant la
première partie de la formule et l'interlocuteur, la
deuxième. Se dit particulièrement à propos d'une femme.
Voir: Les *cochons* sont soûls, les truies s'en plaignent.

UNE. Une de perdue, dix de retrouvées. *Perte.* La perte est compensée par un gain supérieur. Se dit notamment d'un amour perdu. «Tant pis si ta blonde t'a quitté, mon tit Paul: une de perdue...» ❖ Pour un perdu, deux retrouvés (XIIIe); Une de perdue, deux de retrouvées (France).

UNION. L'union (si l'union) fait la force, les coups (de poing) font (la force fait) les bosses (les bedeaux sonnent les cloches). *Force.* La force prime sur le nombre. Boutade. Variation plaisante sur l'énoncé français (ci-après). L'union fait la force (XVIIIe, France).

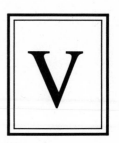

VACHE. Mourra plutôt la vache d'un pauvre homme.
Malhonnêteté. Carmen Roy *(Littérature orale en Gaspésie)* avance l'explication suivante: «Tel escroc sous le joug duquel il faut vivre.»

Une bonne vache laitière peut donner de chéti' [chétifs] **veaux.** *Famille.* De bons parents peuvent donner de mauvais enfants. En parlant d'un enfant malingre ou rebelle. ❖ Une bonne souche porte bien un mauvais scion [rejeton]; D'un œuf blanc on voit souvent un poulet éclore bien noir (France).

VAISSEAU. Dans un grand vaisseau [récipient]**, on met une petite part.** *Justice.* Qui demande beaucoup reçoit peu.

VALET. Quand on est valet, on n'est pas roi.
Hiérarchie. Le subalterne se doit d'obéir. ❖ Apprenti n'est pas maître (France).

VALETS. Lorsque les maîtres sont en voyage, les valets font bonne chère. *Autorité.* L'autorité absente, les subalternes en profitent. Se dit notamment des enfants qui profitent de l'absence des parents. ❖ Quand le chat n'est pas là, les souris dansent (France).

Voyages de maîtres, noces de valets. *Autorité.* L'autorité absente, les subalternes en profitent. Se dit pour condamner le laisser-aller en l'absence de l'autorité. «La maîtresse est partie et vous en profitez, mes petits chenapans: voyages de maîtres...» ❖ Quand le chat n'est pas là, les souris dansent (France).

VALEUR. La valeur n'attend pas le nombre des années. *Âge.* La valeur d'une personne peut se révéler tôt. Formule attribuée à Corneille. Énoncé général.

VANTEUR. Bon menteur, bon vanteur. *Mensonge.* Le menteur a tendance à se vanter. ❖ Homme plaideur homme menteur (France).

VEAU. On liche [lèche] **toujours son veau.** Bien. On privilégie toujours son œuvre ou son intérêt. * Chacun aime le sien (XVIᵉ, France).

VENDREDI. Qui (celui qui, si tu) rit (ris) vendredi (pleurera, tu pleureras) dimanche pleurera. *Inconstance.* Celui qui se réjouit un jour de tristesse s'affligera un jour d'allégresse ou à la joie succède la peine. ❖ Tel qui rit vendredi dimanche pleurera (Racine, *Les plaideurs*; Tel rit le vendredi qui dimanche pleurera (France).

VENGEANCE. La vengeance est douce au cœur de l'Indien (du guerrier). *Réaction.* La vengeance assouvit. ❖ La vengeance est un plat qui se mange froid (France).

VENT. Autant en emporte le vent. *Inconstance.* Il n'y a guère de permanence. L'anglais connaît: *''Gone with the wind.''* Se dit en France. ❖ Princes à mort sont destinez/ Comme les plus pauvres vivans;/ S'ils en sont coursez ou tennez,/ Autant en emporte li vens (Moncorbier alias François Villon, XVe, France).

Pas de mauvais vent qui n'apporte quelque chose de bon. *Malheur.* Il n'y a guère de malheur qui n'ait un côté favorable. ❖ À quelque chose malheur est bon (France).

VENTRE. On prend les hommes par le ventre. *Nourriture.* La bonne cuisine gagne l'homme. Se dit surtout par les femmes. ❖ Le ventre emporte la tête (France).

Ventre plein empêche de brailler. *Fortune.* Personne repue ne se plaint guère. Antonyme de: Ventre vide n'a pas d'oreilles. «Tu peux avoir cinquante ans, le tit bedon, pis dans le fond quand même un peu d'angoisse. Pourtant, ventre plein empêche de brailler.» (Jean-Marie Poupart, *Chère Touffe*) ❖ Quand la cornemuse est pleine, on en chante mieux; Ventre plein donne de l'assurance (Auvergne, France).

Ventre vide n'a pas d'oreilles. *Pauvreté.* Le miséreux n'a que faire de la raison. Caton le Censeur dans un discours au peuple romain dit précisément: *Jejunus venter non audit verba libenter,* ventre à jeun n'écoute guère les discours. ❖ Ventre affamé n'a point (pas) d'oreilles (La

Fontaine, *Fables,* «Le milan et le rossignol», XVIIe, France).

VENTRE DU BEDEAU. On ne sait pas ce qui se passe dans le ventre du bedeau. *Soi/autrui.* On ne connaît guère les intentions d'autrui. Allusion à l'imprévisibilité humaine. «Qui sait ce qu'il fera de cet héritage; on ne sait pas…»

VÉRITÉ. La vérité choque. *Vérité.* ❖ Il n'y a que la vérité qui blesse (XVIIIe); La vérité engendre la haine (France).

La vérité revient à son maître. *Vérité. La vérité jaillit tôt ou tard. Énoncé général.* ❖ La vérité, comme l'huile, vient au-dessus (France).

La vérité sort de la bouche des enfants. *Vérité.* L'enfant ne peut tromper. Se dit en France.

La vérité est au fond du puits. *Vérité.* La vérité ne se dévoile pas d'emblée. ❖ La vérité est au fond d'un puits (France).

Toute vérité (la vérité) n'est pas (toujours) bonne à dire. *Vérité.* Énoncé général. Exhortation à la prudence dans les paroles. ❖ Toutes vérités ne sont pas bonnes à dire (La Fontaine, *Fables,* France).

VERRE. Chacun dans son verre. *Individualité.* Chacun pour soi. Consigne courante. Sur le thème de: Chacun son métier et les vaches seront bien gardées. Voir: Chacun dans sa *cour.* ❖ À chacun le sien n'est pas trop (XVIIIe, France).

Mon verre n'est pas grand mais je bois dans mon verre. *Bien.* Un petit bien à soi est préférable à un grand bien d'autrui. Allusion voilée aux profiteurs de tous ordres. Voir: Un petit *chez-nous* vaut un grand ailleurs. ❖ Un petit chez-soi vaut mieux qu'un grand chez les autres (Bourbonnais, France).

VERTUEUSE. Une personne vertueuse est une personne vicieuse. *Vertu.* De l'ambivalence de la vertu. Se dit notamment de l'excès de vertu, qui aboutit parfois à son contraire.

VIE. Il faut prendre la vie par le bon bout (du bon côté). *Savoir-vivre.* Mieux vaut adopter une attitude constructive.

Il faut prendre la vie comme elle vient. *Savoir-vivre.* Mieux vaut accepter les vicissitudes. Énoncé général.

La vie est un combat dont la palme est aux cieux. *Sort.* La vertu est récompensée dans l'au-delà. Énoncé populaire dans le clergé. ❖ La vie est un plateau de rats (Martinique).

La vie, c'est comme une fleur qui perd ses pétales. *Sort.* La vie flétrit les gens. ❖ La vie s'en va comme la rose (France).

La vie a de bons moments mais elle en a de (des) sacrements. *Inconstance.* Si la vie est parfois facile, elle est souvent difficile.

Mort souhaitée, vie prolongée. *Mort.* S'inspire d'une croyance populaire.

VIE D'ARTISTE. Ce n'est pas drôle la vie d'artiste (surtout quand on n'est pas acteur). *Sort.* Se dit pour se moquer d'un geignard.

VIEUX GARÇON. Vieux garçon, vieux cochon. *Sexualité.* Le célibataire âgé est souvent dépravé. Préjugé courant. Proféré notamment par les femmes. Se dit en Beauce pour fustiger celui qui, à l'encontre de la coutume, tarde à se marier.

VIN. Puisque le vin est servi, il faut le boire. *Sort.* Mieux vaut accepter les vicissitudes du sort. Se dit souvent d'une réalité désagréable. ❖ Vin versé, il faut le boire (XVIᵉ, France).

VINAIGRE. On n'attire pas les mouches avec du vinaigre. *Douceur.* Mieux vaut douceur que force. ❖ On prend plus de mouches avec du miel qu'avec du vinaigre (XIXᵉ); On ne prend pas les mouches avec du vinaigre (France).

VIOLON. Il ne faut pas aller (danser) plus vite que le violon (temps). *Empressement.* Mieux vaut ne pas brûler les étapes. Éloge de la pondération en tout. ❖ Qui trop se hâte en cheminant, en beau chemin se fourvoie souvent (France).

VITRES. Qui casse les vitres les paye. *Faute.* Qui commet une faute doit en assumer les conséquences. Se dit notamment par les parents à l'adresse des enfants.

D'origine française, l'énoncé remonterait à un fait divers
impliquant un vitrier et un passant dans la rue des
Prouvaires à Paris. L'anecdote amusa tellement qu'elle
se popularisa, notamment chez les cabaretiers chez qui
l'on cassait beaucoup de verres à boire (voir ci-
après). ❖ Qui casse les verres les paie (XVIIIe, France).

VIVRE. Qui vivra verra en verrat. *Aujourd'hui/demain.*
L'avenir le dira (pour sûr). Se dit souvent par qui croit
avoir raison. ❖ Qui vivra verra (XVe, France).

**VOISIN. C'est toujours plus beau dans le terrain du
voisin.** *Envie.* Le bien d'autrui semble toujours plus
attrayant. Ovide *(L'art d'aimer)* dit précisément: «Dans
le champ d'autrui, la moisson est toujours plus belle.»

**Lorsqu'on attend après son voisin pour dîner, on dîne
bien tard.** *Aide.* Mieux vaut ne pas compter sur l'aide
d'autrui. Sur le thème: Aide-toi toi-même. ❖ Qui s'attend
à l'écuelle d'autrui a souvent mauvais dîner (dîne par cœur
plus d'un midi)(XIXe, France).

**Un bon voisin vaut mieux qu'un parent. Famil-
le.** ❖ Mieux vaut son bon voisin que longue parenté
(XVe, France).

**VOLEUR. Un voleur qui en vole un autre (qui est volé,
qui vole un autre voleur), (voler un voleur) le diable
en rit.** *Malhonnêteté.* Le voleur risque de se faire voler
à son tour. ❖ Bien est larron qui larron emble (ancien,
France).

VOULOIR. Quand on n'a pas ce qu'on veut, on prend ce qu'on a. *Contentement.* Faute de posséder l'objet de son désir, il faut bien se contenter de ce qui est à sa portée. ❖ Quand on n'a pas ce que l'on aime, il faut aimer ce que l'on a (XVIIᵉ, France).

Qui veut peut. *Volonté.* Éloge de la détermination. ❖ Vouloir c'est pouvoir (France).

VOYAGES. Les voyages forment la jeunesse (et déforment la vieillesse). *Voyage.* Le premier segment de l'énoncé s'emploie en France. Les deux parties se disent notamment par les jeunes à l'adresse des plus âgés, en boutade.

VOYOU. Un voyou trouve toujours sa voyelle. *Réunion.* On trouve toujours son vis-à-vis. Se dit notamment d'un homme en quête d'une femme. Péjoratif. ❖ Il n'y a pas de grenouille qui ne trouve son crapaud (France).

YEUX. Il ne faut pas avoir les yeux plus grands que la panse. *Ambition.* Il ne faut pas désirer davantage que ce que l'on peut prendre. Locution passée en proverbe. Se dit notamment à propos de nourriture. «Mange ce qui se trouve dans ton assiette avant d'en demander d'autre; il ne faut pas avoir les yeux...» ❖ On ne doit pas avoir les yeux plus grands que le ventre (XVᵉ, France).

Mieux voient quatre yeux que deux. *Jugement.* Le jugement de plusieurs vaut plus que le jugement d'un seul. Voir: Deux têtes valent mieux qu'une. ❖ Deux yeux voient plus clair qu'un seul (France).

BIBLIOGRAPHIE

Almanach des cercles agricoles de la province de Québec, Montréal, J.-B. Rolland et fils, 1894.

Almanach des Trois-Rivières de J.-A. Charbonneau, Trois-Rivières, 1913.

Almanach du peuple, Montréal, 1932.

Almanach Rolland agricole, commercial et des familles, Montréal, 1880, 1887.

BARRY, Robertine, *Fleurs champêtres,* Montréal, Desaulniers, 1895.

BARTLETT, John, *Familiar Quotations,* Little, Brown and Co., Boston, Toronto, 1955.

BEAUCHEMIN, Normand, *Dictionnaire d'expressions figurées en français parlé du Québec,* Sherbrooke, Université de Sherbrooke, 1982.

BENOIT, Félix, *À la découverte du pot aux roses,* Paris, Solar, 1980.

BLADÉ, J.-F., *Proverbes et dictons populaires,* Paris, Champion, 1880.

CHANTREAU, Sophie, REY, Alain, *Dictionnaire des expressions et locutions,* coll. Les usuels du Robert, Paris, Dictionnaires Le Robert, 1989.

CLAS, André, Seutin, ÉMILE, *Dictionnaire de locutions et d'expressions figurées du Québec,* Montréal, Université de Montréal, 1985.

CLICHE, Robert, FERRON, Madeleine, *Quand le peuple fait la loi,* la loi populaire à Saint-Joseph de Beauce, Montréal, Hurtubise HMH, 1972.

DE CELLES, A.-D., «Le passé et le présent», *Almanach Rolland agricole,* commercial et des familles, Montréal, 1924.

DESRUISSEAUX, Pierre, *Le livre des proverbes québécois,* Montréal, L'Aurore, 1974; Montréal Hurtubise HMH, 1978.

DUPONT, Jean-Claude, *Le forgeron et ses traditions,* thèse de D.É.S., Québec, Université Laval, 1966.

DUPONT, Jean-Claude, *Le monde fantastique de la Beauce québécoise,* coll. Mercure, dossier no 2, Ottawa, Centre canadien d'études sur la culture traditionnelle, Musée national de l'Homme, 1972.

FRÉCHETTE, Louis, *Contes de Jos Violon,* Montréal, L'Aurore, 1974.

GAGNON, Ernest, «À bâtons rompus», *La revue canadienne,* no 34, 1898.

GERMA, Pierre, *Dictionnaire des expressions toutes faites,* Montréal, Libre Expression, 1987.

GIRARD, Rodolphe, *Marie Calumet,* Montréal, Éditions Serge Brousseau, 1946 (1ère édition: 1904).

GUÈVREMONT, Germaine, *Le survenant,* Montréal, Beauchemin, 1945.

HARVEY, Gérard, *Marins du Saint-Laurent,* Montréal, Éditions du Jour, 1974.

HOGUE, Marthe, *Un trésor dans la montagne,* Québec, Caritas, 1954.

JASMIN, Claude, *L'outaragasipi,* Montréal, L'Actuelle, 1971.

La rédaction, «Proverbes à propos de noces», *Bulletin des recherches historiques,* volume XXIX, octobre 1923, p. 310.

LABRUNIE, Alain, *Proverbes et dictons d'Auvergne,* Paris, Rivages, 1985.

LAGANE, René, *Locutions et proverbes d'autrefois,* Paris, Belin, 1983.

LE ROUX de Lincy, *Le livre des proverbes français* précédé de recherches historiques sur les proverbes français..., Genève, Slatkine Reprints, 1968, 2 volumes (réimpression de l'édition de Paris, 1859).

MADORE, Hélène, SIROIS, Brigitte, VÉZINA, Gilles, *Répertoire de la littérature orale des comtés de Kamouraska,* Rivière-du-loup, Centre d'étude régionale du cégep de Rivière-du-Loup, 1984.

MAILLET, Antonine, «Rabelais et les traditions populaires», *Archives de folklore,* Québec, 1971.

MALOUX, Maurice, *Dictionnaire des proverbes, sentences et maximes,* Paris, Larousse, 1960.

MARIE-URSULE (c.s.j.), sœur, «Civilisation traditionnelle des Lavalois», *Archives de folklore,* nos 5-6, Presses universitaires Laval, 1951.

MARTEL, Léon, *Petit recueil des proverbes français,* Paris, Garnier Frères, s.d. (8e édition).

MASSICOTTE, Édouard-Zotique, «Croyances et dictons des environs de Trois-Rivières», *Journal of American Folklore,* volume 32, 1919.

MASSICOTTE, Édouard-Zotique, «Formulettes, rimettes et devinettes du Canada», *Journal of American Folklore,* volume 33, no 130, octobre-décembre 1920, p. 299-320.

MONTREYNAUD, Florence, PIERRON, Agnès, SUZZONI, François, *Dictionnaire de proverbes et dictons,* coll. Les usuels du Robert, Paris, Dictionnaires Le Robert, 1989.

MORAWSKI, Joseph, *Proverbes français* antérieurs au XVe siècle, Paris, librairie ancienne Honoré Champion, 1925.

MORIN, Louis, *Les étapes de la vie des paroissiens de Saint-François,* travail du cours Histoire 101, Sainte-Anne-de-la-Pocatière, Collège Sainte-Anne-de-la-Pocatière, mars 1966.

POUPART, Jean-Marie, *Chère Touffe, c'est plein de fautes dans ta lettre d'amour,* Montréal, Éditions du Jour, 1973.

RIDOUT, Ronald, WITTING, Clifford, *English Proverbs Explained,* Londres, Heinemann, 1967.

RIVIÈRE, Sylvain, *La lune dans un manche de capot,* Montréal, Guérin littérature, 1988.

ROY, Carmen, *La littérature orale en Gaspésie,* bulletin nº 134, Ottawa, Musée national du Canada, 1955.

ROY, Pierre-Georges, «Nos coutumes et traditions françaises», *Les cahiers des dix,* nº 4, Montréal, 1939.

VIBRAYE, comte Henri de, *Trésor des proverbes français* anciens et modernes, Paris, Émile Hazan éditeur, 1934.

Documents audiovisuels et archivistiques

Arcand en direct, réseau Quatre Saisons, septembre 1989; Archives de folklore, faculté de Lettres, Université Laval: collections Céline Auclair, Beaulieu-Pelletier, France Bégin, Marc Bérubé, Raymond Boily, Françoise Cantin, Georges Daigle et Michèle Lafleur, Jean-Claude Dupont, abbé Édouard Fournier, Marie Joncas, Jean Hamelin, M. Lafleur, Conrad Laforte, Claude Lavergne, Lise Levasseur, frère Marc-Régis, Normand Martin, François

Morin, sœur Sainte-Gertrude, sœur Sainte-Hélène de la Foi, Léonard Schmidt, Huguette Théberge; Bertrand, Jeanette, *Parler pour parler,* Radio-Québec, mai 1987; *Bonjour champion,* CKAC radio, juillet 1990; Brault, Michel, *Les ordres,* film, 1974; Bourassa, Robert, à *Première ligne,* Radio-Québec, septembre 1989; Brisebois, Rhéaume (Rocky), CJMS, Montréal, septembre 1971; Dubé, Marcel, *Un simple soldat,* théâtre, 1969; Duceppe, Jean, entrevue à Télé-Métropole, Montréal, 1972; Gamache, Marcel, *Symphorien,* Télé-Métropole, décembre 1972; Grignon, Claude-Henri, *Un homme et son péché,* enregistrement discographique, 1939; série radiophonique, Radio-Canada, décembre 1952; film inspiré du roman de l'auteur, 1948; Héroux, Denis, *Les smattes,* film réalisé par Jean-Claude Labrecque, 1972; Jutras, Vincent-Pierre, *Le parler des Canadiens français,* manuscrit, La Baie-du-Febvre, 1917; *Le téléjournal,* Radio-Canada, septembre 1989; «Plus», *La Presse,* février 1985; Richard, André, *Le solarium,* théâtre radiophonique, Radio-Canada, octobre 1974; *Rosa,* dramatique télévisée, société Radio-Canada, août 1975; Sirois, Serge, *Aujourd'hui peut-être,* téléthéâtre, Radio-Canada, mars 1974; Watier, Lise, à *Pierre, Jean jasent*, Télé-Métropole, Montréal, 1973.

INFORMATEURS

Régions des collectes: Abitibi, Beauce, Charlevoix,
Estrie, Gaspésie, Lac-Saint-Jean, Montréal, Québec.

ANGERS, René; AUCLAIR, Jean-Denis; BAILLAR-
GEON, Paul; BEAUDRY, André; BEAULIEU, Alain;
BEAULIEU, Jeanne-Pauline; BEAULIEU, Victor-Lévy;
BEAUREGARD, Georgina; BEAUREGARD, Yvon;
BÉLAND, Mme Normand; BÉLANGER, Laurent; BER-
GERON, Alain; BERGERON, Clara; BERGERON,
Françoise; BERGERON, Jean; BERGERON, Joseph;
BERGERON, Marie-Louise; BERGERON, Michelle;
BERGERON, Pauline; BERGERON, Réjeanne; BOU-
CHARD, Laurent; BOUCHER, Eudore; BOUCHER,
Gilles; BOUCHER, Hector; BOUCHER, Omer; BOUR-
DON, Michelle; BROCHU, Michel; BROUSSEAU,
Médor; BROUSSEAU, Prudent; CHATEL, Ernest; CHI-
COINE, Carl; CLAVEAU, Norma; COTÉ, Gisèle;
COTÉ, John; COTÉ, Marie-Louise; COTÉ, Pierre;
COTÉ, Richard; COULOMBE, Émilio; COUTURE,
Alphonse; COUTURE, Paul-Émile; COUTURE,
Rosalba; D'AMOURS, Bernard; D'AMOURS, Danielle;
D'AMOURS, Loréa; DÉCARIE, Michel; DESCAGNÉ,
Marie-Claire; DESGAGNÉ, Madeleine; DESGAGNÉ,
Marie-Ange; DESGAGNÉ, Marie-Émilie; DESGRO-

SEILLERS, France; DESROSIERS, Albert; DESRO-SIERS, Anne-Marie; DESROSIERS, Charles; DESRUIS-SEAUX, Daniel; DESRUISSEAUX, Gaby; DUCLOS, Mance; GAGNÉ, Agathe; GAGNÉ, Daniel; GASSE, Gabrielle; GILBERT, Léo; GOULET, Michel; HAME-LIN, Jules; HARVEY, Gabrielle; HARVEY, Kelley; HÉBERT, Mariette; JACQUES, Alice; JONCAS, Émery; JONCAS, Yolande; LABERGE, Louise; LACHANCE, Marie-Paule; LAMONTAGNE, Claire; LAMONTAGNE, Gilles; LAPIERRE, Henri; LAPRISE, Marie-Anne; LAVOIE, Marguerite; LEDUC, Diane; LEDUC, Jacques; LÉVESQUE, Berthe; MARCOTTE, Danielle; MCINTYRE, Marcel; MCINTYRE, Yvette; MICHAUD, Amanda; MILOT, Jeanne; MINVILLE, Thérèse; MORIN, Francine; MORIN, Marie-Anne; PÉLAGE, Frédéric; POIRIER, Lucette; POTVIN, Annette; ROUSSEAU, Louis; ROUSSEL, sœur Solange; RUSSELLE, Gisèle; SAINT-GERMAIN, Yves; SAIN-TONGE, André; SAINTONGE, Mme André; SAVARD, Kelley; SENNETTE, Joseph; SMITH, Marie-Louise; TESSIER, Danièle; TESSIER, Jasmin; TESSIER, Jean; TESSIER, Marcel; THÉBERGE, Lucienne; THI-VIERGE, Serge; THOMPSON, Bobby; TREMBLAY, abbé René; TREMBLAY, Alcide; TREMBLAY, Bertrand; TREMBLAY, Rémy; VIDRICAIRE, André; VIENS, Alain; WHITTON, Guy.

INDEX

THÈMES

A
abandon
absence
acharnement
action
âge
aide
ambition
amitié
amour
argent
argument
arrivée/départ
aspect
audace
aujourd'hui/demain
autorité

B
beauté
besoin
bien
bonheur

C
caché
caractère
cause
certitude
chance
charité
chez soi/ailleurs
choix
clergé
colère
commerce
comparaison
comportement
compromis
confiance
conjecture
connaissance
contentement
culpabilité

INDEX THÉMATIQUE

L'index renvoie au mot-clé de l'énoncé. On retrouvera ce dernier en se référant à son ordre alphabétique d'après le mot-clé, dans le corps de l'ouvrage.

Abandon

CHAISE. Qui laisse sa chaise l'hiver la perd.

CHAISE. Qui va à la pêche perd sa chaise.

CHASSE. Un chien qui va à la chasse perd sa place.

CHIEN. Il ne faut pas tuer son chien parce que l'année est mauvaise.

CRAQUER. Tout ce qui craque ne casse pas.

PLACE. C'est aujourd'hui la Saint-Lambert, qui quitte sa place la perd (c'est aujourd'hui la Saint-Laurent, qui quitte sa place la reprend).

Absence

PARTIR. Partir c'est mourir un peu.

Acharnement

COURIR. Tout arrive plus vite à qui court après.

OS. Chien qui marche, os trouve.

Action

AIDER (S'). Aide-toi et le ciel t'aidera.

APPÉTIT. L'appétit vient en mangeant.

ARBRE. L'arbre tombe toujours du côté où il penche.

CHANDELLE. Il ne faut pas brûler la chandelle par les deux bouts.

CHEMIN. Beau chemin ne rallonge pas.

CHEMINS. Les meilleurs chemins sont toujours les plus courts.

COMMENCER. Qui commence bien finit bien.

COUCHÉ. On sera plus longtemps couché que debout.

FAIRE. Bien faire vaut mieux que bien dire.

FER. Il faut battre le fer quand il (tandis qu'il) est chaud.

FERS. Il ne faut pas mettre trop de fers au feu.

LENTEMENT. Qui va lentement va sûrement.

MONTURE. Qui veut aller loin ménage sa monture.

PAS CAPABLE. *Pas capable* est mort, son père est enterré.

PAS. Il n'y a que le premier pas qui coûte.

SIFFLER. Siffler n'est pas jouer.

Âge

CLOCHER. Faut pas chier sur le clocher.

FEU. C'est pas parce qu'il y a (quand il y a) de la neige sur la couverture (ça «ne» veut pas dire) qu'il n'y a plus de feu dans le poêle.

JEUNESSE. La jeunesse pour construire, la vieillesse pour mourir.

JEUNESSE. Si jeunesse savait, si vieillesse pouvait.

PAIN. Quand le blé mûrit, le pain moisit.

POÊLE. C'est le plus vieux poêle qui chauffe le plus fort.

ROSIER. Un vieux rosier ne se transplante pas.

TEMPS. Le temps, ça ne fait pas des sages, que des vieillards.

VALEUR. La valeur n'attend pas le nombre des années.

Aide

AIDE. Peu d'aide fait grand bien.

CHASSER. Un bon (tout) chasseur sachant chasser doit savoir (peut) chasser sans son chien.

DEMANDER. Demandez et vous recevrez.

DESCENDANTS. On ne prie pas pour les descendants.

PETIT. On a souvent besoin d'un plus petit que soi.

SERVICE. Un service en attire un autre.

VOISIN. Lorsqu'on attend après son voisin pour dîner, on dîne bien tard.

Ambition

AMBITION. L'ambition fait mourir son maître.

AMBITIONNER. Il ne faut pas ambitionner sur le pain bénit.

DIABLE. Plus le diable en a, plus il veut en avoir.

EMBRASSER. Qui trop embrasse mal étreint.

GÂTEAU. On ne peut pas avoir un gâteau et le manger en même temps.

LIÈVRES. Faut jamais courir deux lièvres à la fois.

LIÈVRES. Vouloir tuer (couvrir) deux lièvres à la fois, tu les perds (on les manque) tous les deux.

PERDRE. On perd tout en voulant trop gagner.

POCHE. Quand la poche est pleine, elle renverse.

TRAIN. Qui trop embrasse manque son train.

YEUX. Il ne faut pas avoir les yeux plus grands que la panse.

Amitié

AMITIÉ. L'amitié, c'est l'amour en habit de semaine.

BESOIN. Dans le besoin on connaît ses amis.

Amour

AIMER. On ne peut (pas) empêcher (tu ne peux pas empêcher) un cœur d'aimer.

AIMER. Qui aime bien châtie bien.

AIMER. Vaut mieux souffrir d'avoir aimé que de souffrir de n'avoir jamais aimé.

AMOUR. Il n'y a pas d'amour sans jalousie.

AMOUR. L'amour, ça bat la police.

AMOUR. L'amour est aveugle.

AMOUR. L'amour fait le bonheur.

AMOUR. Tout amour qui passe l'eau se noie.

AMOUREUX. Les amoureux sont seuls au monde.

BAISER. Ça commence par un baiser, ça finit par un bébé.

CARTES. Chanceux aux cartes, malchanceux en amour.

CŒUR. Cœur amoureux soupire (souvent) pour deux.

CŒUR. Loin des yeux, près du cœur.

FEU. Une maison sans feu est comme un corps sans âme.

JEU. Heureux au jeu, malheureux en amour.

Argent

ARGENT. Quand on contrôle l'argent, on contrôle les hommes.

ARGENT. L'argent contrôle le pays.

ARGENT. L'argent fait (bien) le bonheur.

ARGENT. L'argent n'a pas d'odeur.

ARGENT. L'argent n'entre pas (rentre) par la porte mais sort par les fenêtres.

ARGENT. L'argent ne pousse pas dans les arbres.

ARGENT. L'argent ne fait pas le bonheur (mais contribue à la bonne humeur, mais ça ne fait pas le malheur).

ARGENT. Perte d'argent n'est pas mortelle.

CENNES. Avec (c'est avec) les cennes (les sous) [cents], on (qu'on) fait les piastres.

CENNES. Cinq cennes [cents] comptant, cinq cennes tout le temps.

COMPTES. Les bons comptes font les bons amis.

DETTES. Qui (celui qui) paie ses dettes s'enrichit.

DETTES. Qui paie mes dettes m'enrichit.

EMPRUNT. Où commence l'emprunt finit l'amitié.

JUIFS. Où il y a de l'argent, les juifs y sont.

MONEY. No money no candy.

PAYER. Payez et vous serez considéré.

Arrivée/départ

ANGES. En parlant des anges, on leur voit les ailes.

BÊTE. En parlant de la bête, on lui voit (elle montre) la tête (on la voit apparaître).

CHAT. En parlant du chat, on lui voit la queue.

CORNES. Quand on parle des cornes, on voit la bête.

DIABLE. En parlant (quand on parle) du diable, on lui voit les cornes (il nous apparaît).

DIABLE. Il faut parler du diable pour lui voir la queue.

FLOT. Qui vient de flot s'en va de marée.

LOUP. Quand on parle du loup, on lui voit la queue.

OISEAU. En parlant de l'oiseau, on lui voit les plumes (la queue).

RETARD (EN). Vaut mieux arriver en retard (tard) qu'en (qu'arriver en) corbillard.

SOLEIL. Quand on parle (en parlant) du soleil, on voit ses rayons.

Aspect

AIR. L'air, c'est pas toute la chanson.

ANNONCE. Grosse annonce, petit magasin.

APPARENCES. Sauvez les apparences et vous sauvez tout.

ARBRE. On ne juge pas l'arbre à son écorce.

BŒUF. Chie le bœuf, il y a de la paille.

CHIEN. Tout chien qui aboie ne mord pas.

CŒUR. Mains froides, cœur chaud.

CRAPAUD. On ne juge pas un crapaud à le voir sauter (à sa peau).

ENSEIGNE. Petite enseigne (annonce), gros magasin.

ESPRIT. L'esprit qu'on veut gâte celui qu'on a.

HABIT. Ce n'est pas l'habit qui fait le moine.

HABIT. On ne juge pas l'oiseau à son habit (plumage).

OR. Tout ce qui reluit n'est pas d'or.

PÉTER. Tout ce qui pète n'est pas cul.

PLUMAGE. Ce n'est pas le plumage qui fait l'oiseau (le bel oiseau).

PLUMAGE. Le (c'est le, c'est le beau) plumage qui fait l'(le bel) oiseau.

ROBE DE VELOURS. Robe de velours éteint le feu à la maison.

ROSE. Tout ce qui brille n'est pas rose.

ROSES. Si les roses ont des épines, sous les épines se cachent les roses.

Audace

CHANCE. La chance sourit aux audacieux.

Aujourd'hui/demain

AUJOURD'HUI. Remets jamais à demain ce que tu dois faire aujourd'hui.

COLLÉ. Collé (colleux) hier, collé (colleux) aujourd'hui, collé (colleux) demain.

LENDEMAIN. Il ne faut pas remettre au lendemain ce qu'on peut faire le jour même.

MATINÉE. Pourquoi attendre à c't'arlevée [après-midi] pour faire ce que tu peux faire c't'a matinée.

NEZ. On ne sait jamais ce qui nous pend au bout du nez.

POGNÉ. Pogné [poigné] hier, pogné [poigné] aujourd'hui, pogné [poigné] demain.

SOURCE. Il ne faut jamais dire: «Source, je ne boirai pas (jamais) de ton eau.»

VIVRE. Qui vivra verra en verrat.

Autorité

CHEFS. Il y a beaucoup de chefs (mais) pas (beaucoup) d'Indiens.

ENFANTS. Dieu est parti, les enfants s'amusent.

PAPE. Pourquoi voir le vicaire quand on peut voir le pape.

SOURIS. Quand le chat est parti (dort), les souris dansent.

TÊTE DE SOURIS. Mieux vaut être tête de souris que queue de lion.

VALETS. Lorsque les maîtres sont en voyage, les valets font bonne chère.

VALETS. Voyages de maîtres, noces de valets.

Beauté

BEAU. Il faut souffrir pour être beau (belle).

BEAUTÉ. La beauté n'apporte (emporte) pas à dîner (la laideur n'apporte pas à souper).

BEAUTÉ. La beauté avant l'âge.

BÉBÉS. Les bébés ne sont pas tous dans les carrosses [poussettes].

FILLE. Temps pommelé, fille fardée, sont de courte durée.

FLEURS. Il paraît qu'il y a des fleurs qui poussent sur un (sur les) tas de fumier.

NEZ. Un gros nez ne dépare jamais un beau visage.

NEZ. Un nez long ne défait pas une belle figure.

SINGES. Les singes avant les princes.

Besoin

AVOIR. Quand on n'a pas ce qu'on veut, on prend ce qu'on a.

CŒUR. Cœur qui soupire n'a pas (tout) ce qu'il désire.

GOÛTS. Il y en a (en faut) pour tous les goûts.

Bien

CHEZ-NOUS. Un petit chez-nous vaut un grand ailleurs.

CHEZ-NOUS. Un petit chez-nous vaut deux châteaux en Espagne.

CRUCHE. Tant va la cruche à l'eau qu'à la fin elle se brise.

EAU. L'eau qui va à la rivière.

MEUBLES. Sauvez les meubles!

ŒUFS. Qui casse ses œufs les perd.

PAIN. Celui qui jette son pain en riant le ramasse plus tard en pleurant.

PEAU. On est plus réduit à sa peau qu'à sa chemise.

TABAC. On bourre sa pipe avec le tabac qu'on a.

VEAU. On liche [lèche] toujours son veau.

VERRE. Mon verre n'est pas grand mais je bois dans mon verre.

Bonheur

BEAU. Il fait beau, il fait chaud, ça pue puis on est bien.

BEAU TEMPS. Après la pluie le beau temps.

CIEL. L'essentiel c'est le ciel.

CŒUR. Cœur content soupire souvent.

DÉBÂCLE. Après l'hiver, il y a toujours une débâcle.

SOLEIL. Le soleil reluit pour tout le monde.

Caché

ANGUILLE. Il y a toujours anguille sous roche.

Caractère

BÊTE. Quand on est veau, c'est pour un temps; quand on est bête, c'est pour tout le temps.

GENRES. Il en faut (il y en a) de (pour) tous les genres.

MONDE. Ça prend (il faut) toutes sortes de monde pour faire un monde.

MONDE. Il faut de tout pour faire un monde.

Cause

FEU. Il n'y a pas de fumée sans feu.

Certitude

CHIEN. Un chien vaut mieux que deux angoras.

CHIEN. Un chien vaut mieux que deux petits verrats.

TENIR. Vaut mieux dire: «Je tiens» que: «Je tiendrai».

Chance

ASSIETTE AU BEURRE. C'est pas toujours au même l'assiette au beurre.

Charité

AUMÔNE. L'aumône n'appauvrit pas.

CHARITÉ. La charité n'a jamais appauvri.

CHIEN. On ne laisse pas un chien dehors.

PAUVRE. Ce qu'on fait au pauvre, on le fait au Bon Dieu.

PAUVRE. Qui (celui qui) donne au pauvre prête à Dieu.

TABLE. Ce qu'on laisse sur la table fait plus de bien que ce qu'on y prend.

Chez-soi/ailleurs

MAISON. Un bûcheron est maître dans sa maison.

PIERRE. Pierre qui roule n'amasse pas mousse.

TARTINE. Une tartine de sirop chez nous est parfois meilleure qu'un banquet ailleurs.

Choix

CHOISIT. Qui choisit prend pire.

GOÛTS. Les goûts ne sont pas à discuter.

GOÛTS. Tous les goûts sont dans la nature.

Clergé

BOUTONS. Les boutons de soutane se digèrent mal.

CURÉ. Qui mange du curé en meurt.

CURÉ. Si vous mangez du curé, vous ne le digérerez pas.

ÉGLISE. Qui donne à l'Église donne à Dieu.

PRÊTRE. Qui mange du prêtre en crève (en meurt).

SOUTANE. Manger de la soutane, ça ne se digère pas.

Colère

CHIEN. Chien hargneux a toujours l'oreille déchirée.

CHIENS. En riant les chiens mordent.

COLÈRE. Il faut toujours remettre sa colère au lendemain.

Commerce

DÉBIT. Le débit fait le profit.

Comparaison

COMPARER (SE). Quand je me compare je me désole, quand je me regarde je me console.

COMPARER (SE). Quand je me regarde je me désole, quand je me compare, je me console.

POMMES. On ne compare pas des pommes avec des oranges.

Comportement

CHIEN. Un bon chien en fait pisser un autre.

DÉFIER. Il faut se défier de tout le monde.

Compromis

EAU. Il faut mettre de l'eau dans son (notre) vin.

Conjecture

PRINTEMPS. Le rossignol ne fait pas le printemps.

Connaissance

APPRENDRE. On apprend à tout âge.

BON DIEU. Le Bon Dieu le sait, le diable s'en doute.

ÉTUDIER. Étudier vaut mieux qu'ignorer.

IGNORANCE. L'ignorance, c'est comme la science, ça n'a pas de bornes.

LIRE. Pour apprendre à lire, il faut aller à l'école.

PERSONNE. Une personne avertie en vaut deux.

Contentement

AIMER. Quand on n'a pas ce qu'on aime, on chérit ce qu'on a.

VOULOIR. Quand on n'a pas ce qu'on veut, on prend ce qu'on a.

Culpabilité

BONNET. Que celui à qui le bonnet fait le mette.

CHAPEAU. Si le chapeau te fait, mets-le.

DIRE. Celui qui le dit, c'est lui qui l'est.

MORVEUX. Que celui qui se sent morveux se mouche.

POULE. (C'est toujours la, la première) poule (la poule qui chante, la poule qui cacasse) (est celle) qui pond (qui a pondu, qui pond l'œuf).

Défaut

DÉFAUT. Défaut reconnu est à moitié pardonné.

MADRIER. On voit la paille dans l'œil du voisin mais pas le madrier dans le nôtre.

MARDE. On (ne) sent pas sa marde.

TOIT DE VERRE. Qui a un toit de verre ne tire pas de pierres chez son voisin.

Devoir

PÊCHEUR. Un bon pêcheur meurt debout dans sa barque.

SOLDAT. Un bon soldat meurt debout dans ses bottes.

Don

CHEVAL. À cheval donné (cheval donné), on ne regarde pas la dent (bride).

DONNER. Donner tout de suite, c'est donner deux fois.

DONNER. On aime mieux donner que recevoir.

DONNER. On donne rien que ce qu'on a.

Douceur

DOUCEUR. La douceur vaut mieux que la rigueur.

MIEL. On attire plus de mouches avec du miel qu'avec du fiel.

VINAIGRE. On n'attire pas les mouches avec du vinaigre.

Économie

CHIEN. On n'attache pas son chien avec des saucisses.

CHIENS. On ne nourrit pas les chiens avec des bouts de saucisses.

ÉPELURES. On ne se torche pas avec des épelures [épluchures] de bananes (d'oignons).

Éducation

DOMPTÉ. Tel que t'es dompté, tel que tu (y) restes.

PARLER. On parle comme on a été appris.

Effort

PEINE. On n'a rien sans peine.

Empressement

BESOGNE. Il ne faut pas aller trop vite en besogne.

BIEN. Celui qui mange son bien en harbe [herbe] à la fin mange de la marde.

CHARRUE. Il ne faut pas mettre la charrue devant les (en avant des) bœufs.

CLÔTURE. Ne mets jamais la clôture avant de planter les piquets.

CORDE. Il ne faut pas (faut pas, on ne doit jamais) faire (acheter) la corde (parler de corde) avant (d'avoir) le veau.

FEU. Il ne faut pas allumer le feu avant d'avoir un client.

FEU DE PAILLE. Grand feu de paille n'a rien qui vaille.

MOUTON. Quand on part en lion, on finit en mouton.

PARTIR. Rien ne sert de courir, il faut partir à point.

PEAU. Il ne faut pas vendre la peau de l'ours avant de l'avoir tué.

POÊLE. Il ne faut pas préparer le (la) poêle avant d'avoir le poisson.

POULETS. Il ne faut pas compter ses poulets avant qu'ils soient éclos.

TEMPS. Chaque chose en son temps.

VIOLON. Il ne faut pas aller (danser) plus vite que le violon (temps).

Enchaînement

COUP. Quand on manque son coup une fois, on le manque trois fois.

DEUX. (Jamais un sans deux) jamais deux sans trois.

MALHEUR. Un malheur en attire un autre.

TROIS. Rarement un, jamais deux, toujours trois.

Envie

CHAMP. Le champ du voisin paraît toujours plus beau.

ENVIE. Vaut mieux faire envie que faire pitié.

HERBE. L'herbe est toujours meilleure dans le dos du voisin.

MARMITE. Ce qui mijote dans la marmite du voisin paraît toujours meilleur.

VOISIN. C'est toujours plus beau dans le terrain du voisin.

Épreuve

CROÛTE. La croûte avant la mie.

DIEU. Dieu châtie ceux qu'il aime.

PEINE. Chaque (à chaque) jour suffit sa peine.

PEINE. La peine emporte le profit (le plaisir).

TEMPÊTE. Il ne faut jamais mettre la voile dans la tempête.

Essentiel

GALETTE. Faute de pain, on mange (de) la galette.

GRAISSE. Sauve la graisse, les cortons [cretons] brûlent.

Évidence

CHEVAL. On ne demande pas à un cheval s'il mange de l'avoine.

PÉTAQUES. Les petites pétaques [pommes de terre] sont pas grosses.

Excuse

OUTILS. Un mauvais ouvrier a toujours des mauvais outils.

Expérience

CHAT. Chat échaudé craint l'eau froide.

CHATTE. Chatte échaudée craint l'eau frette [froide].

CISEAUX. Rien comme (vive) les vieux ciseaux pour couper la soie.

EXPÉRIENCE. Expérience passe science.

FORGERON. En (c'est en) forgeant, on (qu'on) devient forgeron.

MONDE. Plus tu joues dans le monde, plus ça pue.

SINGES. Ce n'est pas aux vieux singes qu'on apprend à faire la grimace.

Famille

CHIEN. Bon chien de chasse tient de race.

FILLES. Vaut mieux avoir dix filles que dix mille.

FILS. À père avare, fils prodigue.

MÈRE. Telle mère telle fille.

PARENTS. (On choisit ses amis mais) on ne choisit pas ses parents.

PÈRE. Tel père tel fils (telle mère, telle fille).

PIGEON. Il ne sort pas de pigeon blanc d'un nid de corbeau.

VACHE. Une bonne vache laitière peut donner de chéti' [chétifs] veaux.

VOISIN. Un bon voisin vaut mieux qu'un parent.

Faute

ERREUR. Erreur n'est pas compte.

ERREUR. L'erreur est humaine.

FAUTE. Faute avouée est à moitié pardonnée.

PARDONNER. On pardonne à qui sait pardonner.

PÉCHÉ. Péché avoué est à moitié pardonné.

PÉCHÉ. Tu meurs toujours par où tu as péché.

TROMPER (SE). Vaut mieux se tromper que de s'étrangler.

VITRES. Qui casse les vitres les paye.

Femme

FEMME. Ce que femme veut, Dieu le veut.

FEMME. Parole de femme, parole de Dieu.

HOMME. Un homme sans femme ne tient pas l'hiver.

TRUIES. Les truies sont soûles [l'un], les cochons s'en plaignent [l'autre].

Force

CHEVAL. On peut mener un cheval à l'abreuvoir mais on ne peut pas le forcer à boire.

CHIEN. Faut pas envoyer un chien à la chasse à coups de bâton.

CHIEN. On ne mène pas un chien de force à la chasse.

FORCE. Contre la force, pas de résistance.

FORT. Le plus fort aura toujours le meilleur.

POCHE. Au plus fort la poche.

UNION. L'union (si l'union) fait la force, les coups (de poing) font (la force fait) les bosses (les bedeaux sonnent les cloches).

Fortune

EAU. Quand une rivière grossit, son eau se salit.

FAMILLE. Petite cuisine (petite maison), grosse famille.

LOUPS. Au printemps, tous les loups sont maigres.

OR. L'or n'a pas d'odeur.

QUÊTEUX. Les quêteux montés à cheval oublient le balai.

RICHE. Il n'y a pas de quêteux de riche.

RICHESSE. Santé passe, richesse reste.

VENTRE. Ventre plein empêche de brailler.

Habitude

CHIEN. Un bon chien retrouve toujours son os.

FOIS. Une fois n'est pas coutume.

HABITUDES. Il est si vrai qu'à tout on s'habitue que celui qui change ses habitudes se tue.

Hiérarchie

CHIEN. Un chien regarde bien un évêque.

GUENILLES. Faut pas mélanger les guenilles et les torchons (les torchons et les serviettes).

HONNEUR. À tout seigneur tout honneur.

MATELOT. Avant d'être capitaine, il faut être matelot.

OBÉIR. C'est plus facile d'obéir que de commander.

POUSSIÈRE. La poussière avant le balai.

ROI. Quand on est roi, on n'est pas valet.

ROIS. Les rois avant les valets (avant les oies).

ROIS. Les rois avant les épais.

SINGE. Plus un singe monte dans un arbre, plus il monte sur les fesses.

TÊTE. Il faut qu'il n'y ait qu'une tête.

VALET. Quand on est valet, on n'est pas roi.

Homme

COCHONS. Les cochons sont soûls [l'un], les truies s'en plaignent [l'autre].

HOMME. Où il y a de l'homme, il y a de l'hommerie.

Honnêteté

HONNÊTETÉ. L'honnêteté ne fait pas manger.

Impossible

CHEVAL. On ne demande pas à un cheval de pondre un œuf.

Inconstance

COQ. Tout coq qui chante le matin a souvent le cou cassé (dort) le soir.

MARDI. Qui pleure mardi rit le vendredi.

MARDI. Qui rit mardi pleure le vendredi.

RIRE. Qui commence une journée en riant la finit en pleurant.

RIRE. Qui rit (si tu ris) aujourd'hui pleurera (tu pleureras) demain.

VENDREDI. Qui (celui qui, si tu) rit (ris) vendredi (pleurera, tu pleureras) dimanche pleurera.

VENT. Autant en emporte le vent.

VIE. La vie a de bons moments mais elle en a de (des) sacrements.

Individualité

AFFAIRES. Que chacun se mêle de ses affaires.

AMÉRICAINS. Les Américains sont devenus riches à se mêler (en se mêlant) de leurs affaires.

CHARITÉ. Charité bien ordonnée commence par soi-même.

COUR. Chacun dans sa cour.

MARMITE. Il ne faut pas laisser voir ce qui bout dans sa marmite.

ME. Me, myself and I.

MÉTIER. Chacun son métier et les vaches seront bien gardées.

NID. Chaque oiseau trouve son nid beau.

PAROISSE. On prêche pour sa paroisse.

PORTE. Nettoie (si chacun nettoyait) le devant de ta (sa) porte, (toute) la rue sera (serait) propre.

PORTE. Si tu es propre, on le verra par le seuil de ta porte.

QUALITÉS. Chacun ses qualités, chacun ses défauts.

VERRE. Chacun dans son verre.

Ingratitude

ÂNE. Donnez de l'avoine à un âne, il vous pétera au nez.

BIEN. Fais (faites) du bien à un vilain (aux humains), il te chiera (et il te fait, ils vous feront) dans les mains (la main).

BIEN. Fais du bien (donne à manger) à un cochon et il viendra chier (faire) sur ton perron.

BIEN. Faites le bien et vous ferez des ingrats.

COCHON. Donne un bonbon (donne à manger) à un (fais du bien à ton) cochon, il viendra (pour qu'il vienne) chier sur ton perron.

COCHON. Graisse les bottes d'un cochon et il te botte le cul avec.

Ivresse

COCHON. Ça ne se soûle pas un cochon.

Jeu

CARTES. Malchanceux aux cartes, chanceux en amour.

JOUER. C'est en jouant que les chiens mordent.

Joie

DIMANCHE. Ce n'est pas tous les jours dimanche.

FÊTE. Ce n'est pas tous les jours fête.

NOCES. Tous (les) jours ne sont pas noces.

RIRE. Il faut rire avant de mourir de peur de mourir sans avoir ri.

SOLEIL. Pas de samedi sans soleil (ni de vieille — de ville — sans conseil).

Jour

LUNDI. Petit lundi, la semaine s'ensuit.

LUNDI. Petit lundi, grosse semaine.

TROIS. Le trois fait le mois (si le cinq ne le défait pas).

Jugement

CLOCHE. Qui n'entend qu'une cloche n'entend qu'un son.

IDÉE. Il n'y a que les fous qui ne changent pas d'idée.

JUGE. On n'est pas juge dans sa propre cause.

MÉDAILLE. Il faut voir les deux côtés de la médaille.

NUIT. La nuit porte conseil.

TÊTES. Deux têtes valent mieux qu'une.

TÊTES. Il y a plus (d'esprit) dans deux têtes que dans une.

YEUX. Mieux voient quatre yeux que deux.

Justice

ARRANGEMENT. Le plus petit (chéti') arrangement vaut mieux que le meilleur procès.

DIEU. Dieu frappe d'une main et récompense de l'autre.

ENTENTE. La meilleure entente vaut mieux qu'un (que le meilleur) procès.

HONNEUR. On ne va pas chercher son honneur en cour.

LOI. La loi, c'est la loi.

PROCÈS. D'un procès, le gagnant sort en queue de chemise, le perdant tout nu.

VAISSEAU. Dans un grand vaisseau [récipient], on met une petite part.

L'un/l'autre

MAL. Le mal de l'un ne guérit pas le mal de l'autre.

CHIEN. Il n'est pas permis de tuer le chien pour sauver la queue de la chatte.

MAL DE VENTRE. C'est pas un mal de ventre qui va guérir un autre mal de ventre.

MALHEUR. Le malheur de l'un fait le bonheur de l'autre.

MALHEUR. Le malheur de l'un ne fait pas le bonheur de l'autre.

Mal

DIABLE. Faut pas tenter le diable.

GRATTER. Plus on gratte, plus ça démange.

MAL. Mieux vaut souffrir le mal que de le faire.

MAUVAISE HERBE. Ça pousse la mauvaise herbe.

MAUVAISE HERBE. La mauvaise herbe pousse vite.

MORDURE. Mordure [morsure] d'un chien ou mordure d'une chienne, c'est la même mordure.

TEMPÊTE. Qui sème le vent récolte la tempête.

Malheur

FEU. Quand le feu prend à la maison, les souris sortent.

MAL. Chacun sent son mal.

MALHEUR. À quelque chose malheur est bon.

MALHEUR. Quand le malheur entre dans une maison, faut lui donner une chaise.

MALHEUREUX. Quand on est heureux, on fait tout pour être malheureux.

VENT. Pas de mauvais vent qui n'apporte quelque chose de bon.

Malhonnêteté

BIEN. Le bien d'autrui mal acquis n'enrichit pas.

DIABLE. Farine (la farine) de (du, l'argent du) diable (re)tourne (vire) en son.

DIABLE. Les ruses du diable sont coudues [cousues].

ŒUF. Ça commence par un œuf, ça finit par un bœuf.

ŒUF. Qui vole un œuf vole un bœuf.

PLUMES. L'oiseau, pour voler, ça lui prend toutes ses plumes mais toi, ça [ne] t'en prend rien qu'une.

POCHE. Celui qui tient la poche (le sac) est aussi pire (coupable) que celui qui met dedans (qui vole).

VACHE. Mourra plutôt la vache d'un pauvre homme.

VOLEUR. Un voleur qui en vole un autre (qui est volé, qui vole un autre voleur), (voler un voleur) le diable en rit.

Manque

CORDONNIER. Faut être cordonnier pour être mal chaussé.

COUTURIÈRES. Ce sont toujours les couturières qui sont (toujours) les plus mal habillées.

FEMME. La (faut être la, il n'y a rien comme d'être la) femme du cordonnier est toujours (pour être) mal chaussée.

Mariage

BAGUE. Bague au doigt, corde au cou.

COQ. Le coq gratte puis (et) la poule ramasse.

FEMME. C'est la bonne femme qui fait le bon mari.

FEMME. Cheminée qui boucane, femme qui chicane, le diable dans la cabane.

FEMME. L'homme propose, la femme dispose.

FEMME. L'homme propose et la femme se repose.

FEMME. Qui prend femme prend paroisse.

MARI. Qui prend mari prend pays.

MARI. Qui prend mari prend parti.

MARI. Qui prend mari prend souci.

MARIAGE. Tel on prépare son mariage, tel on y vit.

MARIER (SE). Marie-toi, tu fais bien, marie-toi pas, tu fais mieux.

POULE. Une poule qui chante comme le coq n'est bonne qu'à tuer.

Mensonge

MENTEUR. Bon pêcheur, bon menteur.

MENTIR. Qui a menti mentira.

PARLER. Parle, parle, il en restera toujours quelque chose.

VANTEUR. Bon menteur, bon vanteur.

Mérite

DÛ. À chacun son dû.

ÉPINGLE. On n'entre pas au ciel avec l'épingle d'un autre.

Mesure

CAUTÈRE. Faut pas mettre un cautère (un notaire) sur une jambe de bois.

Milieu

BÊTE. Nul n'est trop bête en son pays.

CHARBONNIER. Le charbonnier est maître chez soi.

COLOMBE. On ne trouve pas de colombe dans un nid de corbeau.

MARIER(SE). Marie-toi devant ta porte avec quelqu'un de ta sorte.

PAYS. Chaque pays fournit son monde.

PROPHÈTE. Personne n'est prophète dans son pays.

Moquerie

CHIEN. Le mot chien n'a jamais mordu personne.

CHIEN. Vous ne pouvez pas empêcher un chien de chier sur une église.

MOITIÉ. Une moitié du monde rit (se moque) de l'autre moitié.

Mort

HOMICI'. Celui qui se mettra homici' [qui se suicide] périra.

MALADE. Être malade c'est un demi-mal, mourir c'est pire.

SOUFFRIR. Vaut mieux souffrir que mourir.

VIE. Mort souhaitée, vie prolongée.

Moyen

AFFAIRES. Les affaires sont les affaires.

CHAT. Il y a plus d'une façon d'étrangler un chat.

CHEMINS. Tous les chemins mènent à Rome.

ÉLECTION. On ne fait pas d'élection avec des prières.

FIN. Qui veut la fin veut les moyens.

MOYENNER. Il y a toujours moyen de moyenner.

PASSAGES. Il y a beaucoup de passages, pas grand'salle à dîner.

Naturel

BÊTE. La beauté s'en va mais la bête reste.

BOIRE. Qui a bu boira (dans sa peau mourra le crapaud, le crapotte).

COUILLON. Quand on est né couillon, on couillonne.

FIN. Telle vie, telle fin (telle mort).

LIT. Tel (on se couche comme) on fait son lit, tel on se couche.

MOURIR. On meurt comme on a vécu (un doigt dans l'œil — dans l'oreille — et l'autre dans le cul).

NATUREL. Chassez le naturel, il revient au galop.

PEAU. Dans la (sa) peau mourra (meurt) le crapaud (le renard).

Nom

CHIEN. Il n'y a pas rien qu'un chien qui s'appelle Pitou (Coly, Fido, Pataud, etc.).

TAUPIN. Il n'y a pas rien qu'un bœuf qui s'appelle Taupin.

Nombre

ÉLUS. Beaucoup sont appelés, peu sont élus.

EXCEPTION. L'exception confirme la règle.

FOUS. Plus on est (il y a) de fous, plus on a (il y a) de *fun* [*angl.* plaisir] (plus on s'amuse).

PÈRE. On ne peut pas plaire à (contenter) tout le monde et à (et) son père (en même temps).

Nourriture

COCHONS. On n'engraisse pas les cochons à l'eau claire.

DORMEUR. Bon dîneur mauvais dormeur.

FOURCHETTE. La fourchette (la table) tue plus de monde que l'épée.

FRICOT. Fricot chez nous, pas d'école demain.

VENTRE. On prend les hommes par le ventre.

Nouveau

NOUVEAU. Tout nouveau tout beau.

NOUVELLES. Pas de nouvelles, bonnes nouvelles.

Obligation

FAIM. La faim fait sortir le loup du bois.

GUERRE. À la guerre comme à la guerre.

NAGER. Quand on est à l'eau, il faut nager.

Occasion

BLÉ. Quand le blé est mûr, on le fauche.

DIABLE. Faut baiser le cul du diable quand il est frette [froid].

FRÈRE. Faut battre son frère tandis qu'il est chaud.

LARRON. C'est l'occasion qui fait le larron.

MANNE. Manne qui passe, on la ramasse.

MÛR. Quand le fruit est mûr, il tombe.

TEMPS. Il y a un temps pour tout.

Opinion

CHAT. La nuit tous les chats sont noirs (gris).

CHATS. À la nuit noire, tous les chats sont de la même couleur.

CONSENTIR. Celui qui ne dit mot consent.

Orgueil

PÉTER. Il ne faut pas péter plus haut que le trou.

Parole

ÉCRITS. Les paroles s'envolent mais les écrits restent.

LANGUE. Avec une langue, on peut aller à Rome.

MOT. Avec un mot, on peut pendre un homme.

OREILLES. Les murs ont des oreilles.

PARLER. Trop parler nuit, trop gratter cuit (trop tirer casse).

PARLEUX. Grand parleux (parleur), petit faiseux (faiseur).

ROCHES. Les roches parlent.

SILENCE. Le silence est d'or, la parole est d'argent.

SOURDS. On ne dit pas la messe deux fois pour les sourds.

Passé

CHIEN. Il ne faut pas réveiller le chien (chat) qui dort.

FILLES. Quand les filles sont mariées, on trouve des marieux.

MARDE. Il ne faut jamais remuer la vieille marde.

MARDE. Plus tu brasses la marde, plus elle pue.

MÉMOIRE. Courte mémoire a bonnes jambes.

MORTS. Il ne faut pas réveiller (on ne déterre pas) les morts.

PASSÉ. Ce qui est passé est passé.

PASSÉ. Le temps passé ne revient pas.

SOUVENIRS. Les souvenirs, c'est comme l'expérience: ça ne s'achète pas.

Patience

ATTENDRE. Tout arrive à point à qui sait attendre.

BÊTE. Il vaut mieux endurer sa bête que de la tuer.

CORDE. Quand la corde est trop raide, elle casse.

CRUCHE. Quand la cruche est pleine, elle renverse.

MARMITE. Quand la marmite bouille [bout] trop fort, ça finit par sauter.

MESURE. Quand la mesure est comble, elle renverse.

PATIENCE. Avec de la patience, on vient à bout de tout.

Pauvreté

PAIN. Celui qui est né pour un petit pain n'en aura jamais un gros.

PAIN. Le monde, c'est une beurrée de marde, plus ça va, moins il y a de pain.

PAIN. Quand on est né pour (avec) un petit pain, on reste avec un petit pain (ça sert à rien).

PAUVRE. Ce n'est pas un vice d'être pauvre.

PAUVRES. Les pauvres sont les amis de Dieu.

TOUT NU. Un tout nu, c'est un tout nu.

VENTRE. Ventre vide n'a pas d'oreilles.

Peine

BAPTISTE. C'est triste (après) la mort de Baptiste.

Permanence

BÉTON. Il n'y a rien de coulé dans le béton.

CIMENT. Il n'y a rien de coulé dans le ciment.

Persévérance

CLOU. À force de taper sur le clou, on finit par l'enfoncer.

LÂCHER. Faut pas lâcher.

MÉTIER. Vingt fois sur le métier, remettez votre ouvrage.

OISEAU. Petit à petit l'oiseau fait son nid.

TRAIN. P'tit train va son train (va loin).

Perte

UNE. Une de perdue, dix de retrouvées.

Plaisir

ÉPINES. Il n'y a pas de rose sans épines.

FRAISES. On ne peut pas manger des fraises à l'année.

NOCES. On ne dîne point quand on est de noces le soir.

PEINE. Il n'y a pas de plaisir sans peine.

PLAISIR. Ça fait plaisir de faire plaisir.

Premier/dernier

DERNIER. Le dernier vaut mieux que le premier.

GAGNER. Qui gagne perd.

PREMIER. Premier arrivé, premier servi.

Prétexte

CHIEN. Qui en veut à son chien, on dit qu'il enrage.

Prévoyance

AVERTISSEMENT. Un bon avertissement en vaut deux.

BISCUIT. Il ne faut pas s'embarquer sans biscuit.

CORDES. Il faut toujours avoir deux cordes à son arc.

POIRE. Il faut se garder une poire pour la soif.

PRÉVENIR. Il vaut mieux (vaut mieux) prévenir que guérir.

Problème

CLOU. Chaque patte veut son clou.

MAUX. Aux grands maux, les grands remèdes.

Promesse

PROMESSE. Chose promise, chose due.

GUERRE. On ne va pas à la guerre sans qu'il en coûte.

Querelle

HOMMES. Deux montagnes ne se rencontrent pas (mais deux hommes se rencontrent).

MAINS. Jeu de mains, jeu de vilains.

Raison

SOURD. Il n'y a pas de pire sourd que celui qui ne veut pas entendre.

Réaction

CANON. On ne tire pas de [du] canon pour écraser une punaise.

COCHON. Cochon (à cochon), cochon et demi.

CRACHER. Crache (qui crache, quand on crache) en l'air, tombe (ça lui retombe, ça retombe, ça nous tombe) sur le (bout du) nez.

RAT. À bon chat bon rat.

VENGEANCE. La vengeance est douce au cœur de l'Indien (du guerrier).

Réflexion

ASSIS. Cinq minutes assis vaut mieux que dix minutes debout.

LANGUE. Il faut se rouler (tourner) la (tourne ta) langue trois (sept) fois (dans la bouche) avant de parler.

PENSER. À penser on devient pensu.

Regret

CHEMISE. Il est trop tard pour louer sa chemise quand on a chié dedans.

FESSES. C'est trop tard pour serrer les fesses quand on a fait au lit.

Rejet

DIABLE. Que le Bon Dieu le bénisse, que le diable le charisse [charrie].

Relatif

PART. Il faut faire la part des choses.

Religion

BÉNÉDICTIONS. L'abondance de bénédictions ne nuit pas.

CHANTER. Chanter, c'est prier deux fois.

ÉGLISE. Près de l'église, loin de Dieu.

Réputation

HÉROS. Un héros aujourd'hui, un vaurien demain.

NOIRCIR. C'est pas en noircissant les autres qu'on se blanchit.

NOM. À bon nom qui vient de loin.

RENOMMÉE. Bonne renommée vaut mieux que ceinture dorée.

RÉPUTATION. Une réputation perdue ne se retrouve plus.

Réunion

COUVERT. Chaque (il n'y a pas de) chaudron trouve (qui ne trouve pas) son couvert [couvercle] (son torchon, une cheville, un trou, sa chaudronne).

GUENILLE. Toute guenille trouve son torchon.

RESSEMBLER. Qui s'assemble se ressemble.

TORCHON. À chaque (un, il n'y a pas de) torchon (qui ne trouve pas, trouve toujours) sa guenille.

VOYOU. Un voyou trouve toujours sa voyelle.

Réveil

SCOUTES. Deboute [debout] les scoutes [scouts], à terre les pères.

Rire

RICANEUX. Grand ricaneux, grand brailleux.

RIRE. Rira bien qui rira le dernier.

RISÉE. Grand'risée, grands pleurs.

RISÉE. Quand on ne vaut pas une risée, on ne vaut pas grand-chose.

Risque

DANGER. Qui s'expose au (qui aime le) danger (y) périra.

ESSAYER. Qui n'essaie rien n'a rien.

FROTTER. Qui s'y frotte s'y pique.

ŒIL. Qui risque un œil les perd les deux.

ŒUFS. Il ne faut pas mettre tous ses œufs dans le même panier.

RISQUER. Qui ne risque rien n'a rien mais qui n'a rien ne risque rien.

RISQUER. Qui risque tout perd tout.

SEMENCE. Il ne faut pas mettre toute sa semence dans le même champ.

TIT PAUL. Si t'as peur de tit Paul, ne vas pas en mer, le noroît te tuera.

Sagesse

FINS. Le nom des fous est écrit partout, le nom des fins est écrit sans fin.

PROVERBE. À tout proverbe on peut trouver sa chaussure.

SEIGNEUR. La crainte (du Seigneur) est le commencement de la sagesse.

Santé

BONNE HEURE (DE). Se coucher de bonne heure, se lever de bonne heure, amènent la santé, la richesse et le bonheur.

CUL-VENT. Pour vivre longtemps, il faut donner jour à son cul-vent.

DORMIR. Qui dort dîne.

MALADE. C'est déjà être malade que de se croire malade.

SANTÉ. Santé passe richesse.

SÈVE. Tant qu'il y a de la sève, l'arbre (ne) tombe pas.

SOLEIL. Où le soleil entre, le médecin n'entre pas.

Savoir-vivre

COCHONS. On n'a jamais (on n'a pas) gardé les cochons ensemble.

COCHONS. Quand les cochons sont soûls, ils fouillent dans l'auge.

CORDE. On ne parle pas de corde dans la maison d'un pendu.

NEZ. Le nez le plus long n'est pas toujours le meilleur senteur.

NOCE. Qui va à noce (aux noces) sans prier (sans être prié) s'en revient sans dîner.

VIE. Il faut prendre la vie par le bon bout (du bon côté).

VIE. Il faut prendre la vie comme elle vient.

Secret

SECRET. Un secret partagé perd sa valeur.

Sexualité

MARIAGE. Le mariage, c'est un brassement de paillasse que tout en craque (que la poussière en r'vole).

MARIAGE. Le mariage est un p'tit bonheur qui monte au deuxième étage pour faire son lavage.

QUÉQUETTE. Grosse Corvette, p'tite quéquette.

VIEUX GARÇON. Vieux garçon, vieux cochon.

Soi/autrui

DOIGTS. Il ne faut pas mettre les doigts entre l'écorce et l'arbre.

HANTER. Dis-moi qui tu hantes [fréquentes], je te dirai qui tu es.

LINGE SALE. Mieux vaut (il faut, faut) laver son linge sale en famille.

MARMITE. On ne sait (on ne connaît) pas (on ne sait jamais) ce qui bouille [bout] dans la marmite du voisin.

PLANCHER. On marche toujours de travers sur un plancher qui nous appartient point.

VENTRE DU BEDEAU. On ne sait pas ce qui se passe dans le ventre du bedeau.

Sort

ADVENIR. Advienne que pourra.

ARRIVER. Arrive qui plante.

BEAU. On ne peut pas tous être beaux et savoir téléphoner (être chanceux).

DIEU. L'homme (on) propose (et) Dieu dispose.

MONTER. Tout ce qui monte doit redescendre.

OS. Un bon os ne tombe jamais dans la gueule d'un bon chien.

PAIN. Si tu manges ton pain blanc en premier, tu manges ton pain noir plus tard.

PÊCHEUR. La tête du pêcheur ne portera jamais la couronne.

POINT. Faute d'un point, Martin a perdu son bien.

RESPONSABILITÉ. La responsabilité monte et ne descend pas.

RHUME. Soignez un rhume, il dure trente jours; ne le soignez pas, il dure un mois.

RICHE. Vaut mieux être riche et en santé que pauvre et malade.

RIRE. Il vaut mieux (en) rire que (qu'en) pleurer.

VIE. La vie, c'est comme une fleur qui perd ses pétales.

VIE. La vie est un combat dont la palme est aux cieux.

VIE D'ARTISTE. Ce n'est pas drôle la vie d'artiste (surtout quand on n'est pas acteur).

VIN. Puisque le vin est servi, il faut le boire.

Sottise

CAVES. Les caves ne sont pas toutes en dessous des maisons.

CORNICHONS. Les cornichons ne sont pas tous dans les pots.

CREUX. Heureux les creux (car) (le royaume des cieux est à eux).

FOUS. Il y a plus de fous en liberté qu'enfermés.

FOUS. Les fous ne sont pas tous dans les asiles.

NOUILLES. Les nouilles ne sont pas toutes dans la soupe.

QUESTION. À sotte question, pas de réponse.

RENARD. Laissons péter le renard.

SANG. On ne peut pas faire sortir du sang d'un navet.

Souhait

SOUHAITER. Qui souhaite mal souvent vous arrive.

Supposition

CHIENS. Si (tous) les chiens (de Paris) avaient des scies, il n'y aurait pas (plus) de poteau.

CHIENS. Si les chiens chiaient des haches (scies), ils se fendraient (scieraient) le cul.

COCHONS. Si les cochons avaient des ailes, ça ferait des beaux serins.

POULES. Si les poules pondaient des haches, elles se fendraient le cul.

SCIES. S'il y avait seulement des scies, il n'y aurait plus de poteaux.

SI. Avec (un) «si» on va à Paris, avec (un) «ça» on reste là.

Taille

BRASSE. On ne mesure pas un homme à la brasse.

ONGUENTS. Dans les petits pots, les bons (meilleurs) onguents (dans les grands les excellents — la mauvaise herbe pousse vite).

Temps

HEURE. Avant l'heure c'est pas l'heure, après l'heure c'est plus l'heure.

JOURS. Il y a plus [de] jours que de semaines.

JOURS. Les jours se suivent mais ne se ressemblent pas.

PARIS. On n'a pas bâti Paris en une journée.

TEMPS. Le temps, c'est de l'argent.

TEMPS. Le temps passe et ne revient plus.

Timidité

GÊNE. Où il y a de la gêne [timidité], il n'y a pas de plaisir.

Tôt/tard

BÂILLER. Qui bâille avant six heures se couche après minuit.

MONDE. Le monde appartient à ceux qui se lèvent tôt.

SOLEIL. Celui qui se laisse battre par le soleil ne devient jamais riche.

TARD. Il n'est jamais trop tard pour bien faire.

TRAÎNER. Tout ce qui traîne se salit.

Travail

ABEILLE. L'abeille qui reste au nid n'amasse pas de miel.

BACUL. Il ne faut pas chier sur le bacul.

BÂTIR. Qui bâtit pâlit.

CŒUR (À). Je (ne) prends plus ça à cœur, je prends ça à l'heure.

HONNEURS. Qui veut les honneurs les paye.

HOT DOGS. On ne peut pas faire les hot dogs et servir les clients.

MAIN À PLUME. Main à plume vaut bien main à charrue.

MÉTIERS. Douze (treize, quatorze, trente-six, cent, mille) métiers, douze (treize, quatorze, trente-six, cent, mille) misères.

OISIVETÉ. L'oisiveté est (la) mère de la paresse (du vice).

OUVRAGE. L'ouvrage dure plus longtemps que ça prend de temps pour le faire.

PARESSE. La paresse est la mère de tous les vices.

SALAIRE. Toute paye mérite salaire.

SEMER. Il faut semer pour récolter.

TRAVAIL. Le (un) travail fait mérite d'être bien fait.

TRAVAIL. Le travail ne fait pas (n'a jamais fait) mourir son homme (personne).

TRAVAIL. Le travail c'est la santé.

TRAVAILLER. Il y a cinq cennes [cents] de différence entre celui qui [ne] travaille pas et celui qui travaille, c'est celui qui [ne] travaille pas qui l'a.

TRAVAILLER. Plus on travaille, mieux on s'instruit.

Valeur

CAVIAR. On ne donne pas (on ne peut pas donner) du caviar (à manger) à des cochons.

MARCHANDISES. Toutes marchandises vantées perdent leur prix.

Vérité

VÉRITÉ. La vérité revient à son maître.

VÉRITÉ. La vérité est au fond du puits.

VÉRITÉ. La vérité sort de la bouche des enfants.

VÉRITÉ. La vérité choque.

VÉRITÉ. Toute vérité (la vérité) n'est pas (toujours) bonne à dire.

Vertu

VERTUEUSE. Une personne vertueuse est une personne vicieuse.

Volonté

POUVOIR. Le pouvoir est moins fort que le vouloir.

VOULOIR. Qui veut peut.

Voyage

VOYAGES. Les voyages forment la jeunesse (et déforment la vieillesse).

INDEX GÉNÉRAL

L'index comprend les mots principaux, à l'exclusion des mots-clés et des verbes.

Année: chien, a. est mauvaise 44

Années: valeur, nombre des a. 188

Annonce: petite a., magasin 71

Appauvri: charité, jamais a. 39

Appelés: beaucoup a., peu élus 70

Arbre: de la sève, l'a. 168; doigts, écorce et a. 65; singe dans un a. 169

Arbres: argent, pas dans les a. 24

Arc: toujours deux cordes, son a. 53

Argent: a. du diable, son 63; l'argent, les j. 104; parole est d'a. 169

Arlevée [**après-midi**]: attendre à c't'a., matinée 118

Artiste: pas drôle la vie d'a. 192

Asiles: fous pas tous dans a. 83

Audacieux: chance aux a. 39

Auge: cochons soûls, dans l'a. 49

Aujourd'hui: c'est a. la Saint-Lambert 147; collé a., demain 51; héros a., demain 94; pogné [poigné] a. 149; qui rit a. pleurera 161

Autre: ciel, l'épingle d'un a. 72; service attire a. 168; voleur, vole un a. 193

Autres: noircissant les a. 129

Autrui: bien d'a. mal acquis 33

Avare: père a., fils 81

Aveugle: amour est a. 21

Avoine: à un cheval, de l'a. 42; a. à un âne 22

Balai: poussière avant b. 151; quêteux, oublient le b. 155

Bananes: avec épelures de b. 71

Banquet: chez nous, b. ailleurs 175

Barque: pêcheur, dans sa b. 144

Beau: champ du voisin, plus b. 38; oiseau, son nid b. 128; plus b., voisin 193; tout nouveau, b. 129

Beauté: b. s'en va 31

PIERRE DESRUISSEAUX

Né en 1945 à Sherbrooke en Estrie, Pierre DesRuisseaux complète ses études primaires dans cette ville avant
de déménager avec ses parents à Montréal où il poursuit
au secondaire. Après un stage d'un an en usine, il suit
des cours universitaires tout en occupant divers emplois
à plein temps, notamment dans la presse écrite où il remplit successivement les postes de rédacteur, de correcteur
d'épreuves et de rédacteur en chef de revue spécialisée.
À titre de reporter et de journaliste, il voyage ensuite en
Turquie, Syrie, Jordanie et au Liban puis effectue divers
séjours au Mexique. Poursuivant des cours de maîtrise
en philosophie à l'Université de Montréal (1970-1973),
il se prend bientôt d'intérêt pour la culture populaire.
Constatant toutefois un manque d'intérêt du milieu aca-
démique pour ce champ de recherche, il abandonne bientôt
l'université afin d'entreprendre seul et en marge des ins-
titutions officielles, des collectes sur le terrain (1971-1976)
qui le mèneront aux quatre coins du pays. Il recueille ainsi
de nombreux documents à caractère ethnologique (proverbes, dictons, expressions, croyances) qui feront, au
fil des années, l'objet de plusieurs publications et réédi-
tions: *Croyances et pratiques populaires au Canada français* (1973), *Le livre des proverbes québécois* (1974,
1978), *Dictionnaire de la météorologie populaire au Québec* (1976), *Le livre des expressions québécoises* (1979),
Le livre des pronostics (1982), *Dictionnaire des croyances et des superstitions* (1989), *Dictionnaire des expressions québécoises* (1990). Parallèlement à ses recherches,
il réalise une démarche littéraire et poétique intense qui
s'amorce avec la parution d'un roman, *Le noyau* (1975)

et se poursuit avec six recueils de poésie, dont *Lettres* (1979), *Travaux ralentis* (1983), et le dernier en date, *Monème* (1989) qui se mérite le prix du Gouverneur général.

Écrivain mais aussi traducteur, Pierre DesRuisseaux met en français de nombreuses œuvres, dont plusieurs restent à paraître, notamment d'auteurs Canadiens anglais; sa traduction de l'essai de George Woodcok, *Gabriel Dumont, le chef des Métis et sa patrie perdue,* en collaboration avec François Lanctôt, s'est mérité en 1986 le Prix du Conseil des arts du Canada. Il a également traduit de l'espagnol avec sa compagne et collaboratrice, Daisy Amaya, le *Popol Vuh,* bible américaine des Mayas-Quichés. Conjointement à ses entreprises littéraires, il construit un voilier ainsi que la maison qu'il habite depuis 1983 avec sa femme et ses deux enfants, Mia (1979) et Yann (1986), à Pointe-Calumet. Engagé depuis plus de deux décennies dans le domaine littéraire, il est cofondateur en 1977, de la maison d'éditions Triptyque et de la revue littéraire *Moebius* où il collabore étroitement avec les auteurs. Membre de divers regroupements professionnels, il est vice-président de la Société littéraire de Laval et directeur de la revue *Brèves*. Il se consacre entièrement aux voyages, à des travaux littéraires et à des recherches ethnolinguistiques.

DU MÊME AUTEUR

Croyances et pratiques populaires au Canada français, essai, Montréal, Jour, 1973.

Le livre des proverbes québécois, essai, Montréal, coll. Connaissance des pays québécois, L'Aurore, 1974; Hurtubise HMH, 1978.

Le p'tit almanach illustré de l'habitant, Montréal, coll. Connaissance des pays québécois, L'Aurore, 1974.

Le noyau, roman, coll. L'amélanchier, L'Aurore, Montréal, 1975.

Dictionnaire de la météorologie populaire au Québec, Montréal, coll. Connaissance des pays québécois, L'Aurore, 1976.

Magie et sorcellerie populaires au Québec, essai, Montréal, Triptyque, 1976.

Le livre des expressions québécoises, Montréal, Hurtubise HMH et Paris, Hatier, 1979.

Lettres, poésie, Montréal, l'Hexagone, 1979.

Ici la parole jusqu'à mes yeux, poésie, Trois-Rivières, Écrits des Forges, 1980.

Soliloques, Montréal, Triptyque/Moebius, 1981.

Le livre des pronostics, Montréal, Hurtubise HMH, 1982.

Travaux ralentis, poésie, Montréal, l'Hexagone, 1983.

Présence empourprée, poésie, Montréal, Parti pris, 1984.

Storyboard, poésie, Montréal, l'Hexagone, 1986.

Monème, poésie, Montréal, l'Hexagone, 1989.

Dictionnaire des croyances et des superstitions, Montréal, Triptyque, 1989.

Dictionnaire des expressions québécoises, Montréal, Bibliothèque québécoise, 1990.